El gran libro de la cocina
ácido-alcalina

BONNIE ROSS

El gran libro de la cocina ácido-alcalina

Cómo equilibrar el sabor, la nutrición y el pH en la comida

EDICIONES OBELISCO

Si este libro le ha interesado y desea que le mantengamos informado de nuestras
publicaciones, escríbanos indicándonos qué temas son de su interés (Astrología, Autoayuda,
Ciencias Ocultas, Artes Marciales, Naturismo, Espiritualidad, Tradición...) y gustosamente
le complaceremos.

Puede consultar nuestro catálogo en www.edicionesobelisco.com

*Los editores no han comprobado la eficacia ni el resultado de las recetas,
productos, fórmulas técnicas, ejercicios o similares contenidos en este libro.
Instan a los lectores a consultar al médico o especialista de la salud ante
cualquier duda que surja. No asumen, por lo tanto, responsabilidad alguna
en cuanto a su utilización ni realizan asesoramiento al respecto.*

Colección Salud y Vida Natural
EL GRAN LIBRO DE LA COCINA ÁCIDO-ALCALINA
Bonnie Ross

1.ª edición: mayo de 2014

Título original: *The Amazing Acid Alkaline Cookbook*

Traducción: *Pablo Ripollés Arenas y Joana Delgado Sánchez*
Corrección: *Sara Moreno*
Maquetación: *Juan Bejarano*
Diseño de cubierta: *Enrique Iborra*

© 2011, Bonnie Ross
Lista de alimentos de las páginas 27-34 extraídas con permiso del libro:
«The Acid-Alkaline Food Guide», copyright 2006, Susan E. Brown & Larry Trivieri, Jr.
Libro publicado por acuerdo con Square One Publishers
www.squareonepublishers.com
© 2014, Ediciones Obelisco, S. L.
(Reservados los derechos para la presente edición)

Edita: Ediciones Obelisco, S. L.
Pere IV, 78 (Edif. Pedro IV) 3.ª planta, 5.ª puerta
08005 Barcelona - España
Tel. 93 309 85 25 - Fax 93 309 85 23
E-mail: info@edicionesobelisco.com

ISBN: 978-84-15968-63-4
Depósito Legal: B-10.924-2014

Printed in Spain

Impreso en España en los talleres gráficos de Romanyà/Valls, S.A.
Verdaguer, 1 - 08786 Capellades (Barcelona)

Este libro está dedicado a Rose Featherstone,
por su ingenio.

PRÓLOGO

M i querida abuela murió a la edad de 102 años debido a complicaciones surgidas tras romperse una cadera. No hago más que preguntarme cuánto tiempo más habría podido vivir de no producirse esa fractura. Su muerte me produjo un inmenso deseo de entender la verdadera naturaleza de la osteoporosis y sus causas, así como sus posibles tratamientos y medidas preventivas para evitarla. Tenía la esperanza de que, si lograba identificar todos los factores que intervienen en ese proceso degenerativo, podría desarrollar un tratamiento capaz de detenerlo e impedir que debilitase a otras personas. Y lo que descubrí fue tan sorprendente como alentador. Por medio de una exhaustiva investigación, averigüé que la fortaleza ósea se conserva no sólo gracias al ejercicio físico y a la ingesta de al menos veinte nutrientes clave para el desarrollo de los huesos, sino también manteniendo el organismo en un estado óptimo de equilibrio ácido-alcalino (pH). En su mayoría, los profesionales de la medicina se habían centrado hasta ahora en el uso de medicamentos para contrarrestar el proceso de la pérdida de masa ósea en sí, prestando poca o ninguna atención al hecho de cómo evitarla desde un principio. Sin embargo, mis estudios me llevaron a entender la importancia que tiene para la salud de los huesos el mantenimiento de un pH corporal adecuado, y eso me permitió darme cuenta de que el número de víctimas de osteoporosis se podría reducir enormemente con sólo introducir un cambio en el estilo de vida de lo más básico: en la dieta. De hecho, cuanto más aprendía sobre el equilibrio ácido-básico del cuerpo, más me daba cuenta de que su mantenimiento dentro de unos niveles adecuados impide el desarrollo de otras enfermedades igualmente graves. Con el tiempo, decidí dar a conocer los resultados de mis años de investigación en forma de mi primer libro, *Better Bones, Better Body (Mejores huesos, mejor cuerpo);* y eso me llevó más tarde a publicar otro, *The Acid-Alkaline Food Guide (Guía de alimentos ácido-alcalinos).*

A lo largo de las casi dos décadas que llevo impartiendo mi programa Alkaline for Life®, orientado a la conservación de nuestros huesos en buenas condiciones, centenares de personas me han pedido que escribiera –o al menos que les encontrara– un libro de cocina específico para aprender a comer sano desde el punto de vista ácido-alcalino. Así pues, y con sumo placer, puedo ahora recomendar la revolucionaria obra de Bonnie Ross titulada *El gran libro de la cocina ácido-alcalina.* Estoy encantada de poder decir que el libro de Bonnie complementa perfectamente la labor a la que he dedicado casi toda mi vida. Esta obra muestra una exhaustiva colección de recetas que no sólo extasiarán tu paladar, sino que devolverán a tu cuerpo su estado de equilibrio natural. Y lo mejor es que no carece de nada; en este libro encontrarás sugerencias para preparar no sólo primeros y segundos platos sumamente sabrosos, sino también deliciosas tortitas, galletas, bizcochos, bollos, tartas y pasteles. Están todos ahí, para que los disfrutes. Quizás lo mejor que tiene este libro de cocina (aparte de la tarta de piña y zanahoria con glaseado de queso crema) sea que sin duda te ayudará a adoptar con facilidad un estilo de vida que puede suponerte un auténtico cambio para mejor. Además de enseñarte a crear comidas estupendas, este libro te explica los ingredientes más comunes que se utilizan en la cocina ácido-alcalina y te sugiere algunos prácticos utensilios de cocina que pueden ayudarte a empezar las cosas con buen pie. Y, por si todo eso fuera poco, encontrarás de vez en cuando datos muy interesantes sobre el tema del pH.

Así como a mí el fallecimiento de mi abuela me impulsó a aprender todo lo posible sobre el equilibrio del pH, lo que hizo que Bonnie descubriera cómo seguir un estilo de vida sano, en términos ácido-alcalinos, fue la muerte de su novio del instituto, y también la de su hermano. Supongo que esas pérdidas hicieron que ambas encontráramos nuestra misión en la vida tratando de ayudar a los demás a conservar una salud fuerte y pujante, y a mantenerse a salvo de las enfermedades prevenibles. Para mí es una inmensa satisfacción comprobar que mi trabajo ha constituido para Bonnie una base sólida en la que apoyarse e inspirarse a la hora de escribir su libro. Así pues, lector: come bien, conserva la salud, sé feliz y comparte esta información con otros, para que ellos también puedan disfrutar los beneficios de una deliciosa dieta con un pH equilibrado.

Dra. Susan E. Brown
Autora de *Better Bones, Better Body,*
y de *The Acid-Alkaline Food Guide.*
Directora de la Better Bones Foundation
www.betterbones.com

PREFACIO

Hace dos años, mientras mi vieja amiga Rose y yo nos poníamos al día sobre nuestras respectivas vidas, me enteré de la triste noticia de que mi antiguo novio del instituto, Rod, había enfermado de cáncer y de que el pronóstico no era bueno. Rose me habló a continuación de un libro que había leído sobre la importancia que tiene mantener el equilibrio del pH en nuestro organismo. Según el libro, el hecho de seguir una dieta con un pH equilibrado no sólo ayuda a combatir la proliferación de las células cancerosas, sino también a evitar una larga lista de problemas de salud. Rose quería compartir esa información con Rod, pero él se había embarcado ya en un último y largo viaje para ver y hacer todas las cosas que siempre había querido ver y hacer.

Además, el hallazgo de Rose me interesó sobremanera porque mi hermano pequeño había muerto hacía poco tiempo de un raro tipo de cáncer sanguíneo que ni siquiera era frecuente en personas tan jóvenes. Sabía muy bien qué clase de dieta seguía él, pues era algo que siempre me había preocupado mucho; y decidí compararla con los alimentos enumerados en el libro mencionado por mi amiga. De hecho, pedí en la biblioteca todos los títulos que pude encontrar sobre equilibrio del pH y empecé a investigar también el tema en Internet.

De repente lo vi claro; resultó que casi todo lo que comía mi hermano era acidificante. Y cuando mi marido y yo revisamos nuestra propia dieta nos quedamos de piedra al descubrir la cantidad de alimentos acidificantes que consumíamos a diario. Creíamos que nuestras comidas eran muy sanas, pero estábamos equivocados.

Tras leer toda la información que pude reunir sobre el tema del pH y su equilibrio, llegué a la conclusión de que mi familia y yo teníamos forzosamente que cambiar el tipo de comida que nos estábamos metiendo en el cuerpo. Quería que todos nosotros estuviéramos a salvo de enfermedades, y sabía que la mejor manera de conseguirlo era la de vigilar la dieta.

De inmediato surgieron dos problemas. El primero era la gran cantidad y variedad de clasificaciones que encontré sobre la supuesta acidez o alcalinidad de los diferentes alimentos. Aparentemente, había opiniones para todos los gustos respecto a cuáles alimentos son acidificantes y cuáles alcalinizantes; aquello era como para confundir a cualquiera. Sin embargo, tropecé por fin con una clasificación sensata y que estaba además respaldada por investigaciones científicas: la recogida en el libro *The Acid-Alkaline Food Guide,* escrito por la doctora Susan Brown, nutricionista, y por Larry Trivieri. La obra me proporcionó la base que necesitaba para encontrar una nueva forma de alimentación; de hecho, a la hora de elaborar estas recetas he seguido siempre sus datos.

El segundo problema no fue tan fácil de resolver. Por desgracia, la mayoría de las recetas que encontré en otros libros sobre el tema ácido-alcalino eran muy poco atractivas, poco originales o resultaban demasiado complicadas para un cocinero medio. Yo deseaba menús familiares y platos tradicionales norteamericanos que no quedaran fuera de lugar, pongamos por caso, en la cocina de mi abuela; y que, al mismo tiempo, necesitasen pocos ingredientes. Llegué a la conclusión de que, si quería que mi familia tomase unas comidas más equilibradas en lo referente al pH, iba a tener que crear yo misma mis propias recetas.

Afortunadamente, con la ayuda de *The Acid-Alkaline Food Guide* fui capaz de desarrollar una serie de platos alcalinizantes que no sólo eran sanos desde el punto de vista nutricional, sino además suculentos, sustanciosos y fáciles de preparar. En mi familia nos quedamos muy asombrados de los efectos casi inmediatos que tuvo en nosotros la nueva dieta: adelgazar dejó de ser un problema, desapareció la sensación de aletargamiento de después de comer, e incluso empezamos a sentirnos más enérgicos y vitales. Al cabo de unas pocas semanas, mi familia se sentía mucho mejor preparada para prevenir y combatir las enfermedades. Empezamos a dormir mejor, e incluso a tener menos dolores de tipo artrítico en las articulaciones.

Después varios meses de seguir esta dieta, mi marido y yo nos fuimos una semana de vacaciones y cometimos el error de volver al viejo hábito de comer sobre todo alimentos acidificantes. Pues bien, casi de inmediato, notamos una pérdida de energía y empezamos a experimentar otra vez el habitual dolor articular; además de sentirnos hinchados e incómodos. Pero, al volver a casa y retomar el estilo de vida saludable, sin embargo, nos recuperamos del todo en menos de una semana. La experiencia fue toda una lección; no volvimos a repetirlo.

En cuanto me di cuenta del valor que tenía esta nueva forma de alimentación, empecé a compartir las recetas con mis amigas y con el resto de mis familiares, y fue todo un éxito. No pasó mucho tiempo antes de que mi marido empezara a repetir una cantinela que a todo cocinero a tiempo parcial le encanta secretamente escuchar, aun cuando no lo reconozca: «¡Deberías escribir un libro de cocina!». Y acabé haciéndole caso.

Introducción

Prepárate para sorprenderte de los efectos que tiene en el cuerpo una dieta con un pH equilibrado. Notarás la diferencia casi de inmediato. Si tu familia y tú utilizáis a diario estas recetas, no sólo estaréis más enérgicos y despiertos sino que estaréis más protegidos de las enfermedades. Y, aunque el libro no esté pensado en sí mismo para ayudarte a adelgazar, lo cierto es que si observas sus principios y te moderas un poco con los postres, alcanzarás tu peso normal con menos esfuerzo del que podrías imaginar. Para ayudarte a alcanzar ese objetivo, muchas de las recetas son versiones equilibradas de platos comúnmente considerados como «comida sencilla, de la que llena», lo que debería aliviar esa sensación de renuncia a todo lo bueno que producen tantas otras dietas.

Aunque no se trata de un libro de cocina vegetariano, lo cierto es que ofrece muchos platos sustanciosos elaborados únicamente con verduras y cereales, con todas las proteínas que necesita el organismo. En cuanto a las recetas que sí contienen carne o productos lácteos, las he adaptado para hacerlas más alcalinas; a menudo, simplemente, ajustando en ellas la proporción de verduras y cereales. Pronto descubrirás que una familia de cinco miembros obtiene todos los nutrientes que necesita compartiendo dos simples pechugas de pollo bien acompañadas de verduras y cereales; no hace falta que cada comensal tome un plato abundante en carne.

Muchas de las recetas de este libro no contienen levadura ni trigo, lo cual no sólo reduce su grado de acidez, sino que las hace aptas para aquellos individuos que presentan tales limitaciones dietéticas. Pero puedo asegurar que

17

los alimentos hechos al horno satisfacen por completo al paladar más goloso y exigente.

Este libro de cocina es útil para todas las ocasiones, ya se trate de un desayuno rápido o de un pausado almuerzo de fin de semana; de una sencilla comida en familia o de una cena elegante con invitados. Los platos que propongo, todos ellos muy fáciles de preparar, están pensados teniendo en cuenta la falta de tiempo que caracteriza nuestra vida cotidiana; además, pueden cocinarse en grandes cantidades para luego irlos consumiendo poco a poco, a lo largo de la semana. Así que no esperes ni un segundo más para cambiar de vida; *El gran libro de la cocina ácido-alcalina* te ayudará a mantenerte sano tomando comidas nutritivas y con un pH bien equilibrado.

¡Disfruta de la cocina y de la buena mesa!

PRIMERA PARTE

UN ESTILO DE VIDA SANO, CON UN pH EQUILIBRADO

1
¿QUÉ ES EL pH?

Hoy día cada vez hay más gente que busca no sólo maneras de curar las enfermedades, sino también de *prevenirlas,* de evitar que lleguen a aparecer. Aunque los médicos y los hospitales hacen lo que pueden por estar a la vanguardia de la medicina, lo cierto es que siguen tratando un determinado problema cuando *ya se ha convertido* en un problema. Sin embargo, poco a poco, empezamos a darnos cuenta de que la «cura» mejor y más eficaz es impedir *de antemano* que surja dicho problema; es decir, la prevención.

Pero ¿cómo puede el individuo medio ser capaz de evitar lo que parece inevitable? ¿Qué posibilidades tenemos frente al cáncer, a las enfermedades cardiovasculares, a la artritis, a la diabetes, a la insuficiencia renal, a la osteoporosis, al envejecimiento prematuro o incluso a las alergias más comunes?

Afortunadamente tenemos la solución justo delante de nuestras narices, o, para ser más exactos, de nuestras bocas. Consiste, sencillamente, en vigilar los alimentos que ingerimos. La comida es la primera y más poderosa línea de defensa contra las enfermedades. El verdadero problema es que nuestra dieta moderna desequilibra el organismo, pues es muy acidificante y, en consecuencia, sumamente patógena. Por suerte, siempre podemos dar marcha atrás y elegir otro estilo de vida que nos devuelva el equilibrio orgánico y la salud. El primer paso para ello es entender qué es el pH.

COMPRENDER QUÉ ES EL pH

Aunque esto sea un libro de cocina y no de ciencia, los principios que hay detrás de cualquier receta sabrosa ciertamente son científicos y sin duda merecen una pequeña explicación.

Las siglas pH significan «potencial de hidrógeno»; es decir, la concentración de iones de este elemento químico presente en una solución determinada. Pero su valor indica también si dicha solución es ácida, alcalina o neutra. La escala va de 0 a 14: un valor comprendido entre 0 y 6 indica acidez, el 7 es neutro y cualquier valor comprendido entre 8 y 14 indica alcalinidad. En otras palabras, cuanto más bajo sea el pH, más ácida es la solución de que se trate. Nuestro cuerpo ha evolucionado de tal modo que requiere un equilibrio casi perfecto entre ácidos y álcalis para conservar una salud óptima. Para comprender bien el pH, primero hay que entender la forma en que nuestro organismo metaboliza la comida.

Durante la digestión, la mayoría de los alimentos se metabolizan aportando al organismo o bien iones de hidrógeno (que son acidificantes) o iones de bicarbonato (que son alcalinizantes). Así pues, cuando hablamos de equilibrio del pH metabólico nos estamos refiriendo al equilibrio entre estas dos sustancias. Así, por ejemplo, cuando el citrato potásico contenido en la fruta se metaboliza se convierte en bicarbonato potásico, que es alcalinizante; mientras que los aminoácidos de las proteínas, que contienen azufre, dejan un residuo de ácido sulfúrico.

Cuantos más iones de hidrógeno se liberan al digerir la comida, más ácido se vuelve nuestro medio interno. Por suerte, los alimentos alcalinizantes que tomamos nos permiten neutralizar esa acidez. Obviamente, para tener una buena salud hay que ingerir alimentos tanto acidificantes como alcalinizantes; pero unos y otros tienen que estar en equilibrio. Por desgracia, la mayor parte de la gente consume demasiados alimentos acidificantes, como la carne y el azúcar, y demasiados pocos alcalinizantes, como las frutas y verduras. Se trata de un estilo de vida que empuja a nuestro organismo hacia la acidez, y eso puede desmineralizar los huesos, aumentar el riesgo de que se formen cálculos renales en el organismo, debilitar el sistema inmunológico y, en conjunto, limitar la salud.

Valores del pH

Puede resultar confuso que un valor de pH *bajo* indique un grado de acidez *alto*, pero se trata de un método de medición. La escala de 0 a 14 es una forma abreviada de representar la concentración de iones de hidrógeno de una solución, que se calcula mediante un logaritmo negativo y se expresa en moles por litro. Por ejemplo, el agua depurada –que por lo general es neutra– tiene un pH de 0,0000001 moles por litro. Para abreviar, expresamos dicho valor como potencia de 10; es decir, 10 elevado a -7 (10^{-7}). Y, para abreviarlo más aún, prescindimos del número 10 y del signo menos, con lo que nos queda simplemente un 7.

Una solución ácida tendría una concentración más elevada de iones de hidrógeno, y por tanto el valor de su pH estaría más cerca de ser un número entero. Por ejemplo, una solución extremadamente ácida podría tener un pH de 0,01 (10^{-2}); como antes, para abreviar, expresaríamos ese valor como un simple 2. Por el contrario, cuanto más alcalina sea la solución, más lejos estará su pH de ser un número entero. Así, una solución algo más alcalina que el agua depurada podría tener un pH de 0,000000001 (10^{-9}); o, abreviando, simplemente de 9.

CÓMO MEDIR EL PH DEL ORGANISMO

Aunque no es fácil determinar con exactitud el pH general del organismo, lo que sí podemos hacer es medir la acidez de nuestra orina o de nuestra saliva utilizando unas tiras indicadoras de papel tornasol. Se pueden comprar en la mayoría de las farmacias y por Internet (*véase* el apartado «Recursos» en la página 295). Al entrar en contacto con un fluido, y según el pH que tenga éste, la tira se pone de un color u otro. Lo mejor es medir la acidez de la orina por la mañana, nada más levantarse uno de la cama, sobre todo si ya han trascurrido al menos seis horas desde la última vez que orinó. La medición matutina del pH nos proporciona un buen indicio de la cantidad de ácido que el organismo ha estado eliminando durante la noche. (Hay que tener en cuenta que cualquier medicamento tomado antes de acostarse puede afectar al valor). Lo ideal es tener por la mañana un pH en la orina comprendido entre 6,5 y 7,5.

Un método alternativo es medir el pH de la saliva por la mañana. (Para no alterar el resultado, es importante no comer ni beber nada antes; ni siquiera debe uno cepillarse los dientes). Deposita una pequeña cantidad de saliva en una cuchara de plástico y sumerge en ella el extremo de una tirita de papel tornasol. Ten en cuenta que el valor matutino que se considera normal es distinto que en el caso de la orina; sería un pH comprendido entre 6,0 y 7,5.

El pH y la salud

Normalmente, los ácidos son neutralizados por las bases de los alimentos que ingieres, así como por ciertos compuestos presentes en tu organismo. Por desgracia, en la típica dieta norteamericana la mayoría de los alimentos son acidificantes, lo que obliga al cuerpo a esforzarse constantemente en neutralizar la acidez (en condiciones ideales, nuestro medio interno es ligeramente alcalino). Con el tiempo, las dietas ricas en alimentos acidificantes producen un exceso de acidez que empieza a acumularse en los tejidos. Sin darse uno cuenta, el organismo entra en un estado de acidosis metabólica; y ahí empiezan los problemas.

A falta de alimentos alcalinos, el cuerpo intenta restaurar el equilibrio idóneo echando mano de sus vitales reservas de minerales alcalinizantes, y posiblemente agotándolas. Cuando tu organismo echa mano de esos compuestos –entre los que cabe citar el calcio y el magnesio–, de tus huesos y dientes, la pérdida puede originar gingivitis e incluso osteoporosis. La acidosis metabólica también da lugar a la inflamación y degeneración del tejido conjuntivo, ocasionado finalmente cuadros patológicos como la osteoartritis, la artritis reumatoide, la gota o la fibromialgia. Pero también se ha relacionado los niveles elevados de ácidos en el cuerpo con otros trastornos, entre los que se incluyen los problemas cardiovasculares, renales y de la vejiga urinaria, la obesidad, la diabetes, la inmunodeficiencia, los eccemas, la celulitis, la falta de energía, la encefalomielitis miálgica, e incluso algunos tipos de cáncer. Por otra parte, las investigaciones han demostrado que las células cancerosas no se desarrollan demasiado bien en un medio alcalino.

Sin embargo, tomando menos alimentos acidificantes, como la carne, los productos lácteos o el café, y más alimentos alcalinizantes, como las verduras y la fruta, es posible reducir la acidosis metabólica y recuperar los minerales perdidos. Eso no significa, sin embargo, que haya que prescindir por completo de los alimentos acidificantes. Aunque padezcas una acidosis extrema, bastará con que sigas una dieta estrictamente alcalinizante durante unos cuantos días para empezar a equilibrar eficazmente tu pH orgánico; pero no conviene que lo hagas mucho tiempo seguido, pues tu cuerpo necesita las proteínas, vitaminas, minerales y ácidos grasos esenciales contenidos en algunos de los alimentos más acidificantes. Junto con el ejercicio habitual y una ingesta adecuada de líquidos, la moderación en el consumo de alimentos acidificantes es la clave para tener un pH orgánico equilibrado. Estando uno sano, entre el 60 y el 65 por 100 de cada comida debería consistir en alimentos alcalinizantes; y, por supuesto, todo lo que ingerimos debería ser nutritivo.

Puede que te resulte útil ir apuntando tus valores de pH durante las primeras semanas, o los primeros meses, de seguir una dieta ácido-alcalina equilibrada. Así verás que realmente se produce un cambio en el grado de acidez de tu organismo y sabrás que estás mejorando tu salud. A medida que tu cuerpo se alcalinice, notarás además un aumento de energía.

EL EQUILIBRIO DEL pH Y LA PÉRDIDA DE PESO

Recuerda que para conseguir un pH sano hay que intentarlo comida a comida. Una cena 100 por 100 alcalina no basta para contrarrestar una dieta acidificante durante el resto del día, así como un fin de semana a base de platos exclusivamente alcalinizantes no compensará toda una semana de excesos ácidos. Limitarte a comer sólo carne tal vez te ayude a adelgazar a corto plazo; pero, a la larga, la acidosis resultante te causará sin duda problemas de salud. Trata de tomar una ensalada o algo de verdura como plato fuerte y compleméntalo con una pequeña ración de carne en caso necesario. Además, por muy goloso que seas, toma fruta a la hora del postre en lugar de dulces. Con la fruta y la verdura ni siquiera tienes que preocuparte de controlar el tamaño de las raciones. Sólo procura tomar platos sencillos, evitando todos aquellos ingredientes que convierten un tentempié nutritivo y saludable en algo dañino. Si reduces el consumo de alimentos procesados y aumentas el de verdura, verás cómo pierdes peso conservando la salud y manteniendo equilibrado tu pH corporal.

LA APARIENCIA FRENTE AL EFECTO

Es importante señalar la diferencia que existe entre la acidez aparente de algunos alimentos y el efecto que realmente producen en el equilibrio ácido-alcalino. Por ejemplo, los limones son famosos por su acidez, causada por el ácido cítrico que contienen. Una vez digeridos, sin embargo, su efecto sobre el organismo es alcalinizante; pues al metabolizarse el ácido cítrico se produce bicarbonato. De forma similar, tal vez la carne te parezca alcalina; pero, al digerirla, las proteínas que la componen dejan un residuo de ácido sulfúrico en el organismo. Ten todo esto en cuenta cuando leas la lista de alimentos del apartado siguiente y las recetas de los próximos capítulos.

TABLAS DE ALIMENTOS

Las tablas que vienen a continuación dividen los alimentos más comunes en nueve categorías distintas: «frutas», «verduras», «legumbres», «productos de origen animal», «cereales, frutos secos y semillas», «condimentos», «aceites y mantequillas», «bebidas» y, por último, «aperitivos e ingredientes para hornear». En cada alimento podrás comprobar si tiene un efecto alcalinizante o acidificante, y si su intensidad está entre baja y media o entre media y alta. Si sólo vas a usar este libro para componer tus menús, no te hará falta consultar la tabla, pues todas las recetas son equilibradas desde el punto de vista del pH; pero si parte del tiempo vas a utilizar tus propias recetas, recuerda que entre el 60 y el 65 por 100 de cada plato debería consistir en alimentos incluidos en el apartado de alcalinizantes.

Si lo que pretendes es combatir un caso de acidosis particularmente agudo, tal vez te convenga aumentar el porcentaje de alimentos alcalinizantes y reducir tu consumo de alimentos acidificantes durante unos cuantos días. Luego, una vez que tu pH retorne a un nivel saludable, podrás seguir con la división ideal de alimentos mencionada antes.

Valores de pH de los alimentos

ALIMENTO	EFECTO ALCALINIZANTE		EFECTO ACIDIFICANTE	
	DE MEDIO A ALTO	DE BAJO A MEDIO	DE BAJO A MEDIO	DE MEDIO A ALTO
FRUTAS				
Albaricoque		●		
Arándano azul		●		
Arándano rojo				●
Baya de Boysen		●		
Caqui	●			
Cereza		●		
Chirimoya			●	
Ciruela			●	
Ciruela pasa			●	
Dátil			●	
Frambuesa	●			
Fresa	●			
Granada				●
Grosella		●		
Guayaba			●	
Higo			●	
Kiwi	●			
Lima	●			
Limón		●		
Mandarina	●			
Mango	●			
Manzana		●		
Melocotón		●		
Melón cantalupo	●			
Melón tuna	●			
Mora	●			
Naranja		●		
Papaya	●			
Pera		●		
Piña	●			
Plátano		●		
Pomelo		●		
Ruibarbo			●	
Sandía	●			

ALIMENTO	EFECTO ALCALINIZANTE		EFECTO ACIDIFICANTE	
	DE MEDIO A ALTO	DE BAJO A MEDIO	DE BAJO A MEDIO	DE MEDIO A ALTO
Tangelo		●		
Tangerina	●			
Tomate			●	
Uva		●		
Uva pasa (sin azufrar)		●		
VERDURAS				
Aceituna (en salmuera)		●		
Aceituna negra				●
Acelga			●	
Achicoria		●		
Agaragar		●		
Aguacate		●		
Aguaturma		●		
Ajo		●		
Alcachofa		●		
Apio	●			
Berenjena		●		
Boniato	●			
Brécol		●		
Brotes y germinados de verduras		●		
Calabacín		●		
Calabaza confitera		●		
Calabazas de invierno	●			
Calabazas de verano		●		
Cebolla	●			
Cebolleta		●		
Champiñón		●		
Chirivía	●			
Col de Bruselas		●		
Col rizada	●			
Col verde	●			
Coliflor		●		
Colinabo	●			
Dulse (alga)	●			
Endibia	●			
Eneldo		●		
Espárrago	●			
Espinacas			●	

ALIMENTO	EFECTO ALCALINIZANTE		EFECTO ACIDIFICANTE	
	DE MEDIO A ALTO	DE BAJO A MEDIO	DE BAJO A MEDIO	DE MEDIO A ALTO
Hiziki (alga)	●			
Hojas de cilantro		●		
Hojas de mostaza	●			
Hojas de nabo		●		
Jícama		●		
Kombu (alga)	●			
Lechuga		●		
Maíz				●
Musgo de Irlanda (alga)		●		
Nabo		●		
Nabo gallego	●			
Nori (alga)	●			
Ñame	●			
Patata		●		
Pepino		●		
Quelpo (alga)	●			
Quingombó		●		
Rábano	●			
Rábano blanco	●			
Raíz de bardana	●			
Raíz de loto	●			
Remolacha		●		
Repollo		●		
Spirulina (suplemento dietético)		●		
Taro (tubérculo)	●			
Verduras de hoja verde para ensalada		●		
Wakame (alga)	●			
Zanahoria (de cultivo biológico)		●		
Zanahoria (de cultivo no biológico)			●	
LEGUMBRES				
Cuajada de soja (tofu)				●
Garbanzos			●	
Guisantes			●	
Guisantes mollares		●		
Habas			●	
Harina de soja				●

ALIMENTO	EFECTO ALCALINIZANTE		EFECTO ACIDIFICANTE	
	DE MEDIO A ALTO	DE BAJO A MEDIO	DE BAJO A MEDIO	DE MEDIO A ALTO
Judías amarillas			•	
Judías azuki			•	
Judías blancas			•	
Judías de Lima			•	
Judías de riñón			•	
Judías Gran Norte			•	
Judías mungo			•	
Judías negras			•	
Judías pintas			•	
Judías verdes			•	
Leche de soja				•
Lentejas		•		
Nueces de soja				•
Proteína de soja				•
Semillas de soja				•
PRODUCTOS ANIMALES				
Almejas			•	
Carne de ave				•
Carne de cabra				•
Carne de caza				•
Carne de cerdo				•
Carne de cordero				•
Carne de vaca				•
Claras de huevo			•	
Huevos				•
Kéfir			•	
Leche de vaca			•	
Mantequilla			•	
Marisco (excepto las almejas)				•
Nata			•	
Nata agria			•	
Pescado				•
Queso				•
Queso blanco			•	
Queso crema			•	
Suero (de vaca o de cabra)		•		
Yogur (endulzado)				•

ALIMENTO	EFECTO ALCALINIZANTE		EFECTO ACIDIFICANTE	
	DE MEDIO A ALTO	DE BAJO A MEDIO	DE BAJO A MEDIO	DE MEDIO A ALTO
Yogur (sin endulzar)			●	
CEREALES, FRUTOS SECOS Y SEMILLAS				
Alforfón			●	
Almendras		●		
Anacardos		●		
Arroz arborio		●		
Arroz basmati		●		
Arroz blanco				●
Arroz integral			●	
Arroz japónica		●		
Arroz silvestre		●		
Avellanas				●
Cacahuetes				●
Castañas	●			
Cebada				●
Coco		●		
Copos de avena (sin endulzar)		●		
Cuscús				●
Fécula				●
Harina de amaranto			●	
Harina de arroz blanco				●
Harina de avena		●		
Harina de cebada				●
Harina de centeno				●
Harina de espelta			●	
Harina de kamut			●	
Harina integral de trigo				●
Harina refinada de trigo				●
Leche de almendras (sin endulzar)		●		
Leche de arroz				●
Linaza		●		
Lúpulo				●
Malta				●
Mijo			●	
Nueces				●
Nueces de macadamia		●		

ALIMENTO	EFECTO ALCALINIZANTE		EFECTO ACIDIFICANTE	
	DE MEDIO A ALTO	DE BAJO A MEDIO	DE BAJO A MEDIO	DE MEDIO A ALTO
Pacanas				●
Pasta de harina refinada de trigo				●
Piñones			●	
Pipas de calabaza	●			
Pipas de girasol		●		
Pistachos				●
Quinua		●		
Salvado de avena				●
Semillas de sésamo		●		
Sémola				●
Tef			●	
Trigo (sin refinar)			●	
Trigo bulgur				●
Triticale			●	
CONDIMENTOS				
Albahaca		●		
Almíbar de maíz				●
Azúcar blanco				●
Azúcar moreno				●
Caldo de verduras en polvo	●			
Canela		●		
Cardamomo		●		
Cayena		●		
Cilantro (granos)		●		
Cilantro (hojas)		●		
Comino		●		
Curry en polvo			●	
Edulcorantes artificiales				●
Eneldo		●		
Eneldo (semillas)		●		
Estragón		●		
Extracto de vainilla			●	
Hinojo		●		
Hojas de laurel		●		
Jarabe de arce			●	
Jarabe de arroz		●		
Jengibre fresco	●			

ALIMENTO	EFECTO ALCALINIZANTE		EFECTO ACIDIFICANTE	
	DE MEDIO A ALTO	DE BAJO A MEDIO	DE BAJO A MEDIO	DE MEDIO A ALTO
Kétchup				●
Macis		●		
Mejorana		●		
Melaza		●		
Mermeladas y jaleas (con azúcar)				●
Miel			●	
Miso (pasta de soja fermentada)	●			
Mostaza (salsa)				●
Orégano		●		
Perejil	●			
Pimentón	●			
Pimienta negra		●		
Rábano picante	●			
Sal de mesa				●
Sal marina	●			
Salsa agridulce de pepinillo				●
Salsa tamari / salsa de soja		●		
Semillas de apio		●		
Stevia			●	
Sucanat (azúcar orgánico)		●		
Tomillo		●		
Vinagre balsámico			●	
Vinagre de arroz			●	
Vinagre de sidra		●		
Vinagre de umeboshi	●			
Vinagre de vino blanco				●
Vinagre de vino tinto				●
ACEITES Y MANTEQUILLAS				
Aceite de alazor			●	
Aceite de cacahuete				●
Aceite de coco		●		
Aceite de colza			●	
Aceite de girasol			●	
Aceite de linaza		●		
Aceite de nuez de macadamia		●		

ALIMENTO	EFECTO ALCALINIZANTE		EFECTO ACIDIFICANTE	
	DE MEDIO A ALTO	DE BAJO A MEDIO	DE BAJO A MEDIO	DE MEDIO A ALTO
Aceite de oliva		●		
Aceite de prímula		●		
Aceite de semilla de algodón				●
Aceite de sésamo			●	
Aceite de soja				●
Aceite vegetal			●	
Crema de cacahuete				●
Manteca de cerdo				●
Mantequilla clarificada		●		
Mantequilla de almendra		●		
Mantequilla de anacardo		●		
Mantequilla de avellana				●
Mantequilla de manzana		●		
Mantequilla de pistacho				●
Margarina (sin ácidos grasos trans)		●		
Mayonesa			●	
Tahina (pasta de sésamo)		●		
BEBIDAS				
Alcohol				●
Café				●
Infusión de jengibre	●			
Infusiones de hierbas		●		
Refrescos				●
Sidra		●		
Té negro			●	
Té verde		●		
APERITIVOS E INGREDIENTES DE HORNEADO				
Bicarbonato sódico	●			
Chocolate				●
Frituras				●
Helado				●
Helado de yogur				●
Levadura				●
Levadura en polvo	●			
Patatas fritas al horno		●		

CONCLUSIÓN

La información que contiene este libro te proporcionará las herramientas necesarias para fomentar un óptimo equilibrio ácido-alcalino, tanto en tu persona como en los miembros de tu familia. Siguiendo a diario estas recetas pronto te sentirás mejor, más sano y con más energía que nunca; y todo eso mientras disfrutas de unas comidas deliciosas que te dejarán plenamente satisfecho. Así que prepárate a estimular tus papilas gustativas y a cambiar de estilo de vida.

2

UNA COCINA CON UN pH EQUILIBRADO

P ara empezar con buen pie el camino hacia un estilo de vida equilibrado en términos de pH, lo primero es rodearse de las herramientas apropiadas; y con «herramientas» me refiero no sólo a electrodomésticos y demás equipamiento culinario, sino también a todos los ingredientes que vayas a necesitar, teniéndolos bien ordenados y a mano en las baldas de la despensa y el frigorífico. Crear un buen ambiente para cocinar es un primer paso importante de cara a modificar la mentalidad sobre lo que uno come. Una cocina bien equipada y bien abastecida te ayudará a pensar de manera positiva y a sentirte más capaz, en lugar de perdido o abrumado; te llenará de confianza en ti mismo, y te sentirás capaz de seguir el estilo de vida sano que te propongo en este libro, orientado a equilibrar el pH. Cuando haces cambios físicos en la cocina, tu actitud mental hacia el arte culinario también cambia; empiezas a escoger otro tipo de cosas para comer, y eso te lleva finalmente a cambiar tu vida. Pero todo empieza con ese primer paso; luego, lo que vayas aprendiendo a lo largo del libro te ayudará a avanzar en la dirección adecuada, utilizando unos pocos ingredientes saludables y algunos utensilios útiles que todo chef preocupado por el equilibrio ácido-básico del cuerpo debería tener en su cocina.

Unas palabras acerca de los alimentos de cultivo biológico

Además de sus potenciales ventajas para la salud y el medio ambiente, las frutas y verduras de cultivo biológico producen un efecto muy positivo en el pH de tu organismo. Los pesticidas, herbicidas e insecticidas que se emplean en la agricultura convencional dejan un residuo químico en los alimentos que eleva su grado de acidez. Una fruta u hortaliza alcalinizante en su forma orgánica puede volverse ligeramente acidificante si en su cultivo se añaden aditivos sintéticos, con lo que se echa a perder propósito de equilibrar el pH. Esto es algo importante que conviene recordar a la hora de cocinar platos que contengan ingredientes como patatas, zanahorias y manzanas, que son algunos de los alimentos en los que se acumulan más residuos químicos. En estos casos, te recomiendo encarecidamente que siempre que te sea posible compres variedades ecológicas; tu cuerpo te lo agradecerá.

Ingredientes saludables

La siguiente lista no enumera *todos* los ingredientes necesarios para preparar las recetas de este libro, pero sí describe muchos de los artículos de despensa más comunes en la mayoría de las comidas, así como algunos otros que en este momento tal vez te resulten poco familiares. Aprovecharé también para citar algunas de mis marcas favoritas, con el fin de ayudarte a escoger los productos adecuados.

Panes

Casi todos los tipos de pan, incluidos los de molde, están hechos con trigo y contienen levadura; y resulta que ambos productos estimulan la producción de ácidos en el organismo. Por esa razón, normalmente no los uso nunca. Una vez dicho eso, hay que señalar que los panes elaborados con grano germinado –me refiero a brotes de trigo y otros cereales sin procesar– son menos acidificantes que la media, así que está bien comerlos de vez en cuando. Sin embargo, ten en cuenta que siguen conteniendo levadura, así que no debes excederte en su consumo. También hay en el mercado tortas de grano germinado (como las típicas *tortillas* sudamericanas), y ésas sí que están hechas sin levadura. Te aconsejo, por ejemplo, la marca Ezekiel, que ofrece una serie de panes y tortas sin levadura ni trigo.

Huevos y sucedáneos de huevo

Aunque sean un potente agente aglutinante a la hora de preparar masas para hornear bollos, pasteles, tartas y galletas, los huevos enteros son muy acidificantes. Como alternativa, puedes usar claras de huevo al natural, productos de clara de huevo ya preparados o incluso el «sucedáneo de huevo a base de linaza molida», cuya receta encontrarás un poco más adelante. En la proporción adecuada, la linaza molida se vuelve gelatinosa al hidratarla y puede sustituir a los huevos como aglutinante cuando se combina con la harina. Para las tortillas y revueltos, usa claras de huevo o algún producto ya preparado como claras de huevo preparadas o huevos batidos.

Sucedáneo de huevo a base de linaza molida

Cuando necesites hornear una masa y quieras un aglutinante que carezca de la acidez de los huevos enteros, prueba este sucedáneo de huevo hecho con linaza molida. Simplemente pon a remojar las semillas de lino en agua y descubrirás una fórmula deliciosa al tiempo que equilibrada. Según las proporciones de esta receta, 1/4 de taza del sucedáneo equivale a un huevo entero.

INGREDIENTES PARA 2 TAZAS
1/2 taza de linaza, 1 taza y 1/2 de agua

1. Muele las semillas de lino en un robot de cocina pequeño o un molinillo de café eléctrico hasta convertirlas en un polvo fino.
2. Pon la linaza molida en un cuenco pequeño y añade el agua. Bátelo hasta que se mezcle por completo.
3. Este sucedáneo de huevo se puede usar de inmediato, pero su consistencia se parece más a la del huevo cuando lo dejas reposar unos 10 minutos. Se conserva bien en la nevera hasta 3 días.

Aromatizantes

Zumaque

El zumaque es una especia de color rojo intenso o morado, tradicional en la cocina de Oriente Medio, que se obtiene moliendo el fruto seco de la planta del mismo nombre. Se suele usar para darle un fuerte sabor a limón a la carne, las ensaladas y las salsas frías para mojar, como por ejemplo el hummus.

Extracto de humo

La mayor parte de la gente estaría de acuerdo en que el bacón es uno de los primeros alimentos que hay que suprimir de la dieta. La pena es que, aparentemente, hace que todo sepa *mejor*. No sé la cantidad de veces que oído decir a mis amigas «Aunque me hiciera vegetariana, no renunciaría al bacón. Huele *tan bien*... ». Bueno, pues hay una manera de conseguir ese sabor ahumado sin sufrir sus efectos acidificantes: el llamado extracto de humo. Basta con añadir un poco a los aliños para ensalada, a los platos a base de huevos, los chiles con carne o las cremas de pescado o marisco para no echarlo de menos (bueno, casi). Debo recalcar, no obstante, que la palabra clave de la frase anterior es «poco», porque a la hora de utilizar el extracto de humo basta con una gota. Lo mejor, siempre, es empezar echando un poquitín e ir añadiendo más cantidad luego hasta conseguir el sabor deseado. Te recomiendo la marca Woodland Natural Hickory Smoke.

Miso

El miso es una pasta hecha de semillas de soja fermentadas, aunque también se puede producir a partir de arroz, cebada o trigo. Originario del Japón, es una estupenda fuente de manganeso, zinc, fósforo y cobre; pero también aporta proteínas y fibra alimenticia a la dieta. Lo hay de diversos colores: blanco, amarillo, rojo, marrón y negro. El de color oscuro tiene un sabor fuerte y acre, lo que lo hace adecuado para condimentar platos principales como las alubias, los estofados o las recetas con salsa de carne. El de color claro tiene un sabor delicado y sutil, así que es idóneo para sopas, aliños para ensalada y salsas suaves. El miso se suele vender envasado herméticamente en plástico o vidrio.

Zataar

El zataar es una mezcla de especias típica de Oriente Medio que tradicionalmente contiene zumaque, semillas de sésamo y hierbas aromáticas como el orégano, la mejorana y el tomillo. Se suele espolvorear encima de la carne y las verduras, pero también se mezcla con aceite de oliva para untar el pan.

Harinas y cereales

Harina de amaranto

Esta harina –hecha de semillas de amaranto molidas– no contiene gluten, así que es mucho menos acidificante que la harina de trigo. Se usa en tortas, pastas y ciertos platos cocinados al horno; pero hay que mezclarla con otras harinas a la hora de preparar panes esponjosos con la levadura adecuada, precisamente, por la falta de gluten. Se puede comprar en muchas tiendas de alimentos dietéticos o integrales.

Harina de alforfón

Al igual que la de amaranto, la harina de alforfón no contiene gluten y, por tanto, es mucho menos acidificante que la típica harina de trigo. También es una estupenda fuente de proteínas; y tiene un sabor único, especialmente adecuado para panes y tortitas. Se puede comprar en muchas tiendas de alimentos dietéticos o integrales.

Harina de kamut

Al igual que la espelta, el kamut es un antiguo pariente del trigo actual. Su harina tiene un sabor mantecoso y es fácil de digerir; tiene un bello color dorado y puede sustituir a la harina de trigo en la mayoría de las recetas. Se encuentra en muchas tiendas de alimentos dietéticos o integrales.

Harina refinada de espelta

La espelta, un antiguo cereal que lleva usándose milenios, produce una harina menos acidificante que la de su pariente el trigo (tanto integral como refinada), aunque es mucho más densa. La harina refinada de espelta se obtiene eliminando la mayor parte del salvado y del germen, lo que la hace más suave y apropiada para la masa de productos horneados como las galletas, los pasteles y las tartas. Esta harina refinada se vende en muchas tiendas de alimentos dietéticos o integrales.

Quinoa

La quinoa o quínoa son las semillas comestibles de una planta nativa de Sudamérica. Es ligeramente alcalinizante y está llena de proteínas, hierro y potasio.

En la cocina es extremadamente versátil y se digiere fácilmente. Si en el envase que te vendan no pone «ya lavada», antes de usar las semillas debes enjuagarlas bien varias veces escurriéndolas en un cedazo hasta que el agua salga limpia, pues a veces tienen un recubrimiento amargo. La quinoa se encuentra en muchas tiendas de alimentos dietéticos o integrales.

Copos de avena normales o instantáneos

Los copos de avena normales son ligeramente alcalinizantes, y en caliente constituyen un desayuno saludable y delicioso que proporciona energía para toda la mañana. Es una forma estupenda de empezar la jornada y añadir fibra a tu dieta. Tanto los copos de avena convencionales como los instantáneos se venden en la mayoría de las tiendas de comestibles.

Harina de teff

La harina de teff se obtiene moliendo las semillas de esta planta herbácea originaria del norte de África. No contiene gluten y se puede usar como sustituto de cualquier harina para elaborar pasta, pan, pasteles, tartas y otros postres. Tiene un contenido en minerales muy alto y un sabor inconfundible, entre el chocolate y la avellana. Es acidificante, pero sólo un poco. La harina de teff se encuentra en muchas tiendas de alimentos dietéticos o integrales.

Suplementos dietéticos

Caldo de verduras en polvo

En su mayoría, los caldos de verduras en polvo o en pastillas concentradas son mezclas de plantas nutritivas como la hierba de trigo, la hierba de cebada, la spirulina, el perejil, la col rizada, la alfalfa, las espinacas, la chlorella o clorela (un alga verde unicelular) o el brécol. Una vez concentradas y desecadas se obtiene un polvo que se puede añadir a los zumos de fruta y otras bebidas para enriquecerlas con vitaminas y minerales. El caldo de verduras en polvo o en pastillas aumenta la energía y alcaliniza el organismo. Sin embargo, asegúrate de que no contiene aditivos o colorantes artificiales, ni tampoco levadura, alimentos probióticos o conservantes, pues aumentan la acidez. La marca Greens+ de la empresa Genuine Health Products es una buena opción dulce; está endulzada con hojas de stevia, no con azúcar refinado. Las marcas Amazing Grass y Amazing Grass Green Super Food tienen certificado de cultivo biológico y vienen sin endulzar, de modo que se pueden usar no sólo en los zumos de fruta, sino también en salsas frías para mojar y en aliños para ensalada. Este tipo de caldos se encuentra en tiendas de alimentos dietéticos o integrales y en también en algunas tiendas de alimentación convencionales.

Proteína de suero en polvo

La proteína de suero es un concentrado proteínico que se obtiene de la leche. La proteína de suero en polvo es ligeramente acidificante; pero cuando se combina con caldo de verduras en polvo (que es alcalinizante), proporciona un combinado proteínico completo y natural que el organismo absorbe muy bien. En el caso de aquellas personas que tienen intolerancia a la lactosa, lo mejor es usar productos de suero en polvo que contengan menos de 0,1 g de lactosa por cucharada. Asegúrate de que la marca que compres no contenga ingredientes artificiales. Una buena opción es Proteins+, de la empresa Genuine Health Products.

Aceites y mantecas

Aceite de canola

Aunque el aceite de canola es un poco acidificante, basta usar sólo una pizca. Sin embargo, asegúrate siempre de que no contenga ningún aditivo.

Mantequilla clarificada o ghee

Se obtiene a partir de mantequilla sin sal, eliminando los sólidos lácteos que contiene; eso la alcaliniza, pero no le resta utilidad para cocinar con ella a altas temperaturas. Debido a su proceso de elaboración, la mantequilla clarificada tampoco contiene lactosa, así que es excelente para personas con intolerancia a este azúcar de la leche. Carece de aceite hidrogenado y es muy popular entre aquellos cocineros que se preocupan por la salud. Si no la encuentras en las tiendas, puedes prepararla tú mismo (consulta en la página siguiente el recuadro «Cómo clarificar la mantequilla»). No hace falta mantenerla en el frigorífico; se conserva hasta un mes en buenas condiciones con tal de guardarla en un lugar fresco y dentro de un recipiente hermético.

Aceite de oliva virgen extra

Este aceite va de maravilla en los aliños para ensalada y tiene un efecto ligeramente alcalinizante, pero su sabor característico no siempre es adecuado para los alimentos al horno. Al hornear, es preferible usar mantequilla clarificada o un aceite de oliva suave. El aceite de oliva en general tiene un punto de humo bajo, lo que significa que empieza a quemarse y descomponerse a menor temperatura que otros aceites; úsalo sólo para saltear un poco los alimentos, no para freírlos.

Cómo clarificar la mantequilla

Si no tienes cerca de casa ninguna tienda de comestibles con productos de India o de Oriente Medio, tal vez te resulte difícil encontrar paquetes de mantequilla clarificada. Afortunadamente, se puede preparar en casa con facilidad y se conserva bien durante un tiempo.

PARA 4 TAZAS

1. Pon cerca de 1 kg de mantequilla sin sal en una cazuela de 2,4 litros y caliéntala a fuego medio-alto. No la remuevas mientras se funde; acabará rompiendo a hervir, y crepitará un poco a medida que se evapore el agua.
2. Cuando empiece a hervir, reduce el fuego a temperatura media. Empezará a formarse espuma en la superficie, espuma que debemos retirar. Luego la mantequilla se volverá trasparente y de color dorado bajo una segunda capa de espuma, que también hay que retirar con la espumadera. Entonces verás que el sedimento depositado en el fondo empieza a adquirir un tono marrón; puedes comprobarlo inclinando un poco la cazuela. En proceso completo suele durar unos 20 minutos. La mantequilla clarificada se quema enseguida, así que vigílala constantemente. En cuanto esté lista, retírala del fuego.
3. Deja que se enfríe un poco y luego viértela con cuidado en recipientes a prueba de calor, tamizándola con un cedazo fino o un colador forrado con estameña o lino. Desecha el sedimento. Aunque es cierto que en condiciones ideales la mantequilla clarificada no necesita refrigeración, te recomiendo que la guardes en la nevera, dentro de un tarro de vidrio hermético, por si no consigues eliminar del todo los sólidos lácteos.

Aceites antiadherentes en aerosol

Con los aceites en aerosol para cocinar, por lo general basta una pequeña rociada (sobre todo si estás usando también papel parafinado). El de oliva es mejor para las verduras soasadas y el de canola para los asados, en los que no va bien el fuerte sabor del primero.

Edulcorantes

Sirope de arroz

El sirope de arroz es un nutritivo edulcorante aproximadamente la mitad de dulce que el azúcar. Es menos acidificante que otros y constituye un buen sustituto del azúcar, la miel, el almíbar de maíz o el jarabe de arce. Usa 1 taza y 1/4 de sirope de arroz por cada taza de azúcar; para compensar, prescinde de 1/4 de taza de cualquier otro líquido incluido en la receta. Una marca de calidad superior es Lundberg Family Farms, que puede encontrarse en tiendas de alimentos dietéticos o integrales y en muchas tiendas de alimentación convencionales.

Melaza (miel de caña de azúcar)

La melaza es un edulcorante alcalinizante que se elabora a partir de la caña de azúcar o de la remolacha azucarera. A diferencia del azúcar refinado, contiene una cantidad importante de vitaminas y minerales. La melaza oscura, en concreto, es rica en calcio, magnesio, potasio y hierro.

Stevia

Lo que se toma son las hojas de esta planta, que contienen varios de los llamados glucósidos: unas sustancias químicas naturales que le dan su dulzor característico pero no aportan calorías. El extracto de hojas es sumamente dulce, con un suave regusto a regaliz. Aunque sólo figura en una de las recetas de este libro, puedes reemplazar el azúcar por stevia siempre que quieras; sólo ten en cuenta su aroma a regaliz y el hecho de que no da tanto volumen al plato como el azúcar de caña integral, el sirope de arroz o la melaza. La stevia se vende en tiendas de alimentos dietéticos o integrales y en muchas tiendas de alimentación convencionales y supermercados.

Azúcar de caña integral

A diferencia de la mayoría de los azúcares blancos y morenos, el azúcar de caña integral no está procesado ni refinado. Se elabora a partir de jugo de caña de azúcar recién extraído, que luego se concentra evaporando el agua hasta que adquiere la consistencia de un jarabe espeso de color oscuro. A continuación, se deseca hasta dejarlo en forma de gránulos porosos. Este sencillo proceso le proporciona un agradable sabor parecido a la melaza, y además lo hace bastante menos acidificante que el azúcar corriente.

Otros ingredientes

Leche de almendras

Como su nombre indica, es un líquido lechoso que se obtiene a partir de almendras molidas –que son alcalinizantes– y agua depurada. No contiene colesterol ni lactosa; y, como sucedáneo de la acidificante leche animal, es mejor que la leche de soja, que también tiene propiedades ácidas. La leche de almendras comercial se encuentra también con sabor a vainilla y chocolate, y suele estar enriquecida con vitaminas. Yo la uso sin endulzar para evitar la acidez que conlleva el azúcar. Mis marcas preferidas son Blue Diamond Original Unsweetened y Vanilla Flavor Unsweetened; verás que las uso en muchas de las recetas de este libro. La leche de almendras se encuentra en muchas tiendas de comestibles y supermercados.

Quesos blancos

Aunque los quesos en general son acidificantes, los blancos y el requesón lo son un poco menos. El queso fresco o queso blanco no se somete a ningún proceso de maduración. Tiene un sabor suave y se elabora a partir de leche de vaca, de cabra, etc. Afortunadamente, se funde bien en el horno microondas y es fácil de untar. Los quesos blancos se encuentran en muchas tiendas y en la sección de productos lácteos de los supermercados. Una buena alternativa a los quesos frescos nacionales son la mozzarella o el provolone italianos.

Bayas de goji pasas

Las bayas de goji, también llamadas cerezas de goji, son una fruta muy alcalinizante. Tienen un sabor agridulce muy agradable y, en forma desecada, una textura similar a la de las uvas pasas. Son famosas por su gran valor nutritivo y por sus propiedades antioxidantes. Gracias a su creciente popularidad, cada vez se encuentran en más supermercados y tiendas de alimentos dietéticos o integrales.

Mayonesa

A la hora de elegir mayonesa, busca alguna que no contenga azúcar, huevos ni aceite de soja, pues tales ingredientes son acidificantes. Son preferibles las elaboradas con aceite de canola o de oliva y con vinagre de sidra, pues son relativamente más alcalinas. Por último, si bien es cierto que muchas de las mayonesas comerciales contienen extracto proteico purificado de soja, lo mejor es que figure *al final* de la lista de ingredientes; pues, si la cantidad es excesiva, la salsa en sí será muy acidificante. Yo prefiero las marcas Earth Island Original Vegenaise, Organic Eggless Light Mayo (de Spectrum Naturals) y Eggless Mayonnaise-Style Aliño (de Canoline), que cumplen todos estos criterios. Se venden en la mayoría de las tiendas de alimentos dietéticos o integrales y en un creciente número de supermercados.

Wakame

Es un tipo de alga marina seca muy alcalinizante. Para poder utilizarlo, hay que ponerlo antes a remojar en agua o bien cocinarlo en caldo. En las cocinas de Asia se usa como ingrediente de sopas o ensaladas; pero también se consume a secas, bien condimentado. Hay que tener presente que aumenta considerablemente de volumen al hidratarlo, así que empléalo en pequeñas cantidades (cunde mucho). Se encuentra en las tiendas especializadas en comida asiática y en muchas tiendas de alimentos dietéticos o integrales.

Agua

En su forma más pura, el agua es neutra, así que no afecta al pH de nuestro cuerpo cuando la bebemos. Sin embargo, el agua del grifo suele ser algo ácida, dependiendo de su origen y de si ha sido clorada o no. Afortunadamente, la concentración de ácidos en el agua potable es relativamente pequeña y casi no afecta al equilibrio ácido-básico del organismo. En general, el efecto del agua del grifo sobre el pH dependerá más de los elementos que falten en ella que de los ácidos que contenga.

Los minerales como el calcio y el magnesio, así como los compuestos químicos del tipo del bicarbonato, son muy alcalinizantes. Donde más abundan es en el agua mineral embotellada, que se extrae de manantiales u otras fuentes que tienen sólidos disueltos. Sin embargo, el agua del grifo normalmente no los contiene en cantidades que resulten beneficiosas para el organismo.

Un último factor que conviene considerar es la forma de estos minerales. El mejor tipo de agua para el pH es el que tiene la cantidad más baja de cloruros, pues hasta el calcio y el magnesio son *acidificantes* cuando están en forma de cloruro. Ponte en contacto con la compañía suministradora o con tu ayuntamiento para recabar información detallada sobre los minerales que contiene el agua del grifo en la zona en que vives.

Te sugiero que ante todo cuides el equilibrio del pH consumiendo más alimentos alcalinizantes, en lugar de preocuparte demasiado por el agua que tomas. Pero, si sufres un caso particularmente malo de acidosis, puede que te convenga añadir a tu dieta agua mineral o filtrar la del grifo mediante un ionizador (consulta el recuadro «Agua ionizada» en la página 153).

UN EQUIPO DE COCINA ÚTIL

Una vez que hayas aprovisionado tu despensa y tu frigorífico con todos los ingredientes necesarios, deberías buscar un equipo de cocina que te haga la vida más fácil. Si cuentas con los electrodomésticos y los utensilios de cocina adecuados, las recetas te parecerán más fáciles de preparar y ahorrarás tiempo y energía. Con unos cuantos accesorios útiles y al alcance de la mano, la experiencia de cocinar será pan comido y se convertirá en un verdadero placer.

La batidora

Las batidoras son el electrodoméstico idóneo para mezclar sopas, salsas frías y calientes o aliños para ensalada. Además de las de sobremesa, la batidora de mano (o de inmersión) te ofrece la comodidad de poder usarla directamente dentro de la cazuela; y su pequeño tamaño la hace muy fácil de guardar.

Una sartén de hierro fundido

El hierro fundido es muy resistente y se calienta de manera uniforme. Las sartenes de este material son excelentes para preparar toda clase de tortas y panes ácimos, así como para tostar frutos secos y semillas. Otra opción bastante buena son las sartenes antiadherentes, pues te permiten cocinar sin necesidad de usar mucho aceite o mantequilla, que son acidificantes.

Un pasapurés

Este utensilio manual sirve para triturar y colar alimentos blandos. Tiene forma de colador y está provisto de una cuchilla metálica accionada mediante una manivela. Para usarlo, se apoya encima de un cuenco y se llena de la comida que se quiere procesar. Al dar vueltas a la manivela, la cuchilla machaca la comida y la empuja hacia abajo, obligándola a pasar por la placa perforada del fondo, con lo que cae ya colada en el cuenco. Se suele emplear, por ejemplo, para hacer puré de patatas o verduras y para quitar las semillas de la fruta.

Un robot de cocina con accesorio para rallar

Los robots de cocina lo hacen todo con rapidez y facilidad: desde trocear la comida hasta convertirla en puré. El accesorio de rallar es muy útil para alimentos duros como las patatas, el repollo y el queso.

Una mandolina

La mandolina viene muy bien para cortar las frutas y verduras en rodajas finas y homogéneas. Este aparato consta de dos piezas ajustables que deslizan entre sí: una superficie fija, provista de cuchillas, y otra móvil a la que se sujeta el alimento. Al hacer un movimiento de vaivén, las cuchillas van cortando el alimento en rebanadas del mismo grosor (el cual se puede regular). También sirve para cortar cómodamente en juliana zanahorias, patatas, calabacín, etc.

Papel parafinado

¡Nada se adhiere a este maravilloso papel! Es magnífico para forrar la bandeja del horno; no sólo no se mancha al asar los alimentos, sino que luego basta con inclinarla un poco para que éstos se deslicen fácilmente ¡y la bandeja queda limpia!

Prensa patatas

Se parece a una prensa de ajos pero se usa con los mismos fines que el pasapurés. Básicamente, al apretar la palanca se obliga a los alimentos blandos a pasar por unos agujeritos del diámetro de un grano de arroz más o menos, y en el proceso se elimina el exceso de agua. Se suele emplear también para hacer puré de patatas.

Moldes de silicona para hornear magdalenas, panes y pasteles

Los moldes de silicona permiten hornear alimentos que luego se desprenden sin esfuerzo; y con ellos, además, no hay necesidad de usar acidificantes como la mantequilla o el aceite. Son también muy útiles para hornear harinas que no sean de trigo, que son menos acidificantes pero –por lo regular– también más frágiles debido a la falta de gluten.

Varillas

Este instrumento es muy práctico para mezclar bien la harina y otros ingredientes secos a la hora de preparar masas y pastas para rebozar. También lo uso para añadir espesante a las salsas y para emulsionar el aceite en los aliños para ensalada.

Pelador de cítricos

Cuando una receta requiere corteza de limón en cantidad, este aparato te facilitará mucho la tarea. Y, por supuesto, también sirve para otras frutas. El mejor modelo, con mucho, es el de Microplane, aunque hay otros muchos en el mercado. Cuando manejes el pelador procura quitar sólo la capa exterior coloreada, no la parte interior fibrosa y blanquecina de la cáscara, pues ésta haría que la receta quedara demasiado amarga.

CONCLUSIÓN

Los seres humanos tendemos a ser criaturas rutinarias; nos aferramos a todo aquello que nos resulta familiar. Nos suele inquietar mucho la idea de aventurarnos fuera del terreno conocido, aun cuando el instinto y el intelecto nos digan que hacerlo va en nuestro propio interés. Nuestra maravillosa y retorcida mente es experta en inventar innumerables motivos para no emprender un nuevo camino.

Cuando escribí este capítulo lo hice con la idea de animarte a dar el primer paso hacia una salud más plena. Y si estás leyéndolo, entonces es que ya te has puesto en marcha. Aunque no estés familiarizado con algunas de las herramientas, y aunque algunos de los ingredientes te suenen raro, a medida que sigas leyendo, esa sensación de extrañeza desaparecerá rápidamente. Aquí vas a encontrar muchas de tus comidas favoritas pero con tan sólo algunos pequeños cambios y ajustes. Y los platos que sean nuevos para ti te parecerán tan deliciosos que sin duda enseguida te acostumbrarás a ellos.

La base para cambiar de verdad es la actitud. Lo más importante es que enfoques de modo positivo esa nueva forma de vida con la que lograrás un pH equilibrado, aceptándola con deleite y esperando la buena salud que va a aportarte. Si consigues eso, el resto te resultará sencillo, con la ayuda de las recetas adecuadas, claro está.

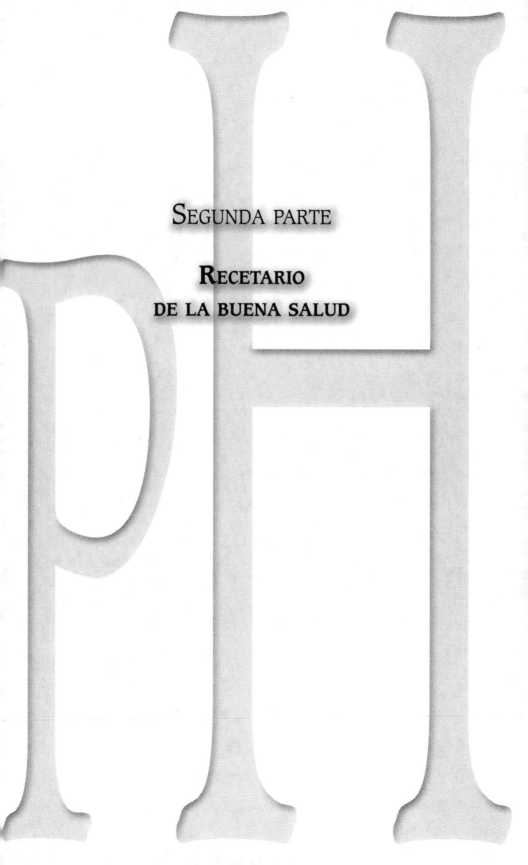

SEGUNDA PARTE

RECETARIO
DE LA BUENA SALUD

3

DESAYUNOS

No siempre es tarea fácil conseguir deprisa un desayuno nutritivo. Normalmente nos conformamos con comer un simple bollo o un dónut de camino al trabajo, o bien nos servimos en casa un tazón de cereales azucarados antes de salir. Si sigues esa costumbre día tras día no sólo privas a tu organismo de nutrientes saludables, sino que además acidificas mucho tu pH. Sin embargo, lo cierto es que es posible disfrutar de un estupendo desayuno sin llegar tarde a trabajar y contar con que tenga un pH equilibrado. Lo único que tienes que hacer es sustituir algunos de los ingredientes típicos por otros que menos acidificantes.

Las recetas de este capítulo están pensadas para ayudarte a disfrutar de unos desayunos deliciosos, fáciles y rápidos de preparar, saludables y buenos para el equilibrio ácido-básico. Un desayuno puede ser algo tan sencillo como un poco de mantequilla de almendra con rodajas de plátano sobre una tostada de pan de cereales germinados, o incluso un poco de fruta fresca con un simple puñado de frutos secos, que son alcalinizantes. Si tienes tiempo para preparar algunas cosas con antelación, podrás disfrutar de deliciosas tortitas; o bien de croquetas de patata hervida y cebolla. En los meses fríos, puedes incluso prepararte una buena olla de copos de avena para luego ir recalentando las porciones que tomes a lo largo de la semana. Le añades algunas bayas alcalinizantes y listo.

Sea cual sea tu placer culinario favorito por las mañanas, las siguientes recetas te ayudarán a desayunar cosas sabrosas sin la acidez que suelen producir las convencionales.

PAN DE CANELA Y UVAS PASAS

Este pan merece mucho la pena: es delicioso y sustancioso, y no contiene acidificantes como la levadura, los productos lácteos o el azúcar refinado. Te darás las gracias a ti mismo cuando comas un par de rebanadas tostadas y bien untadas con tu producto favorito para equilibrar el pH.

Ingredientes para un pan de unos 23×13 cm

4 tazas de harina refinada de espelta
1 taza y 1/2 de uvas pasas negras
1/4 de taza de semillas de sésamo crudas
1/4 de taza de azúcar de caña integral
1 cucharada de canela molida
2 cucharaditas de levadura en polvo
1 cucharadita de bicarbonato sódico
1/4 de cucharadita de sal marina
2 tazas y 1/8 de leche de almendras sin endulzar

1. Precalienta el horno a 180 °C. Unta un molde para pan de 23×13 cm con aceite vegetal, mantequilla clarificada o un aceite antiadherente en aerosol –o bien forra el fondo con papel parafinado– y ponlo aparte.

2. En un cuenco grande, bate en seco la harina con las uvas pasas, las semillas de sésamo, el azúcar, la canela, la levadura en polvo, el bicarbonato sódico y un poco de sal. Después, haz un hoyo en el centro de la mezcla.

3. Añade la leche y mezcla a conciencia con una cuchara todos los ingredientes hasta que se forme una masa consistente.

4. Esparce la masa de manera uniforme por el molde para pan que preparaste previamente. Después, golpea con delicadeza la base del molde contra la encimera de la cocina para eliminar las bolsas de aire que puedan haber quedado dentro de la masa.

5. Cubre el molde con papel de aluminio para impedir que se agriete la parte de arriba del pan. Hornea durante 40 minutos.

6. Saca el molde del horno, quita el papel de aluminio y tíralo, y vuelve a meter el molde en el horno. Cuécelo durante otros 30 minutos (o hasta que puedas clavar un palillo de dientes en el centro de la masa y sacarlo limpio, sin restos adheridos). Déjalo que se enfríe.

7. Corta rebanadas del pan, tuéstalas y úntalas con una margarina no hidrogenada o con mantequilla clarificada (página 44).

«Lo mejor y más seguro es mantener un equilibrio en la vida, reconociendo los grandes poderes del entorno y de nosotros mismos. Si puedes hacerlo así y vives de esa manera, entonces serás realmente un hombre sabio».

–Eurípides, dramaturgo

TORTITAS DE ALFORFÓN

Estas tortitas son ligeras y esponjosas. Sin duda se convertirán en un plato favorito de tu familia para desayunar o merendar; y, además..., ¡no contienen huevos ni harina de trigo que acidifiquen el estómago!

**Ingredientes para 3 raciones
(2 tortitas cada una)**

3/4 de taza de harina refinada de espelta
1/4 de taza de harina de alforfón
1 cucharada de salvado de arroz
1 cucharada de azúcar de caña integral
2 cucharaditas de levadura en polvo
1/4 de cucharadita de sal marina
1 taza de leche de almendras sin endulzar

1. Precalienta el horno a 100 °C.
2. Utiliza un cuenco grande o una fuente honda para batir en seco las dos harinas, el salvado de arroz, el azúcar, la levadura en polvo y la sal. Después, haz un hoyo en el centro.
3. Añade la leche y combina bien la mezcla con una cuchara. Ponla aparte.
4. Cubre el fondo de una sartén de 25 cm con un poco de aceite vegetal, mantequilla clarificada o un aceite antiadherente en aerosol. Caliéntala a fuego medio-alto hasta que, al echar una gotita de agua, se ponga a crepitar.
5. Echa en la sartén 1/4 de taza de la mezcla que habías reservado antes y espera hasta que se formen burbujas en la superficie de la tortita y sus bordes pierdan el brillo. Dale la vuelta y sigue cocinándola durante cerca de 1 minuto (o hasta que la otra cara adquiera un color tostado). Repite la operación con el resto de la mezcla hasta dejar hechas las 6 tortitas.
6. A medida que prepares las tortitas, trasfiérelas a una fuente refractaria y mantenlas calientes en el horno ya precalentado.

Luego sírvelas con salsa de bayas (página 202), melaza o si-rope de arroz, a fin de obtener un manjar tan apetitoso como equilibrado para nuestro pH.

CONSEJO ÚTIL

Si quieres tener una buena cantidad de mezcla para tortitas lista para usar en un instante, duplica o triplica la dosis de los ingredientes secos de la receta, bátelos bien, métalos en un tarro de vidrio provisto de una tapa que ajuste bien y guarda éste en un lugar fresco y seco. Cuando tengas que preparar tortitas, simplemente añade 1 taza y 1/2 de leche de almendras sin endulzar por cada 2 tazas de mezcla seca.

TORTITAS DE MANZANA

Con un sabor delicioso que recuerda a los bollos de masa de hojaldre rellenos de manzana, estas tortitas se convertirán seguro en uno de tus manjares mañaneros preferidos. Al edulcorarlas con azúcar de caña integral y aprovechando el dulzor natural de la manzana, podrás disfrutar de un plato exquisito y libre de la acidez que normalmente caracteriza a otros desayunos de tipo similar comprados en reposterías.

Ingredientes para 4 raciones (2 tortitas cada una)

1 taza de rodajas de manzana seca picadas en trozos menudos
3/4 de taza de agua hirviendo
3/4 de taza de harina refinada de espelta
1/4 de taza de harina de avena
2 cucharadas de azúcar de caña integral
1 cucharada de levadura en polvo
1 cucharada de salvado de arroz
2 cucharaditas de canela molida
1/4 de cucharadita de sal marina
3/4 de taza de leche de almendras sin endulzar

1. Precalienta el horno a 100 °C.

2. Coge un cuenco refractario, pon en él las manzanas, vierte encima el agua hirviendo y déjalo reposar 10 minutos.

3. En un cuenco grande, bate en seco las harinas, el azúcar, la levadura en polvo, el salvado de arroz, la canela y la sal. Después, haz un hoyo en el centro de la mezcla.

4. Añade la leche y combina bien la mezcla con una cuchara.

5. Incorpora poco a poco las manzanas y el agua a la mezcla, combinándolo todo bien.

6. Cubre el fondo de una sartén de 25 cm con un poco de aceite vegetal, mantequilla clarificada o un aceite antiadherente en aerosol. Caliéntala a fuego medio-alto hasta que, al echar una gotita de agua, se ponga a crepitar.

7. Echa en la sartén 1/4 de taza de la mezcla ya preparada y espera hasta que se formen burbujas en la superficie de la tortita y sus bordes pierdan el brillo. Dale la vuelta y sigue cocinándola durante cerca de 1 minuto (o hasta que la otra cara adquiera un color tostado). Repite la operación con el resto de la mezcla hasta dejar hechas las 8 tortitas.

8. A medida que prepares las tortitas, trasfiérelas a una fuente refractaria y mantenlas calientes en el horno precalentado mientras sigues cocinando las demás. 8. Sírvelas acompañadas de salsa de mantequilla de manzana (página 195).

TORTITAS DE CALABAZA

Estas condimentadas tortitas son perfectas para un reposado desayuno o almuerzo de fin de semana. Sírvelas con fruta fresca en trozos (como naranjas, melocotones o fresas) y conseguirás un manjar matutino realmente memorable, además de equilibrado en cuanto al pH.

Ingredientes para 4 raciones (2 tortitas en cada una)

1/2 taza de puré de calabaza en lata sin azúcar
1/4 de taza de azúcar de caña integral
1/4 de taza de agua
1 cucharada de mantequilla clarificada fundida
1/2 cucharadita de especia para pastel de calabaza
1 cucharada de cáscara de naranja
2 cucharaditas de jengibre fresco rallado
1/4 de cucharadita de sal marina
1/2 taza de harina de kamut
1/2 taza de harina refinada de espelta
1 cucharada de levadura en polvo
3/4 de taza de leche de almendras sin endulzar

1. Precalienta el horno a 100 °C.
2. Usa una fuente o cuenco de tamaño mediano para combinar el puré de calabaza, el azúcar, el agua, la mantequilla, la especia para pastel de calabaza, la cáscara de naranja, el jengibre y la sal. Mézclalo todo bien con una cuchara y resérvalo.
3. En una fuente honda de tamaño grande, bate en seco las harinas y la levadura en polvo. Luego haz un hoyo en el centro de la mezcla.
4. Añádele el combinado de calabaza que habías reservado y la leche, ligándolo todo con una cuchara.
5. Cubre el fondo de una sartén de 25 cm con un poco de aceite vegetal, mantequilla clarificada o un aceite antiadherente en aerosol. Caliéntala a fuego medio-alto hasta que, al echar una gotita de agua, se ponga a crepitar.

6. Echa en la sartén 1/4 de taza de la mezcla y espera a que se formen burbujas encima de la tortita y sus bordes pierdan el brillo. Dale la vuelta y sigue cocinándola durante cerca de 1 minuto (o hasta que la otra cara adquiera un color tostado). Repite la operación con el resto de la mezcla hasta dejar hechas las 8 tortitas.

7. A medida que prepares las tortitas, trasfiérelas a una fuente refractaria y mantenlas calientes en el horno precalentado mientras sigues cocinando las demás. Sírvelas con sirope de arroz integral y fruta fresca. Aprovecha el resto de la calabaza enlatada para preparar una crema de calabaza, pera y jengibre (página 140).

«La concordia hace crecer las pequeñas cosas, la discordia arruina las grandes».

—Salustio, historiador

FRITADA MAÑANERA

La fritada de patata, cebolla, pimiento morrón, apio y zanahoria constituye un sustancioso desayuno; pero, además, es una forma excelente de aprovechar las sobras de pescado, carne picada de vaca o carne de ave. Cuando vayas a comprar las croquetas de patata hervida y cebolla, asegúrate de escoger una marca que no contenga ni conservantes ni grasas añadidas, pues suben el pH.

Ingredientes para 4 raciones

1 cucharada de aceite de oliva suave
3 tazas de preparado congelado para hacer tortitas de patata
1 cebolla de tamaño mediano, picada muy fina
1/2 taza de pimiento morrón rojo o verde, picado muy fino
1/2 taza de apio, picado muy fino
1/2 taza de zanahoria rallada
De 1/2 a 3/4 de taza de pescado cocido desmenuzado,
carne picada de vaca o carne de ave picada a cuchillo
1/2 cucharadita de ajedrea de jardín en polvo
Sal marina al gusto

1. Calienta el aceite a fuego medio-bajo en una sartén de 30 cm. Añade las patatas y fríelas –removiéndolas de vez en cuando– de 5 a 7 minutos; o hasta que se calienten bien. Trasládalas a una fuente y resérvalas.

2. Echa a la sartén la cebolla, el pimiento, el apio y la zanahoria. Saltéalos, removiéndolos de vez en cuando, hasta que estén tiernos.

3. Añade la carne o el pescado y remuévelos hasta que se calienten bien.

4. Vuelve a echar las patatas a la sartén. Sazona con ajedrea de jardín y sal. Calienta bien las patatas, removiéndolas de vez en cuando. Sírvelas con un toque de kétchup ecológico.

LATKAS DE BONIATO

El boniato es un alimento muy alcalinizante. Esta receta requiere un poco de tiempo, pero el resultado merece la pena. Estas tortitas de patata están tan buenas frías como recién salidas de la sartén.

Ingredientes para 15 latkas*

3/8 de taza de harina refinada de espelta
1 cucharadita de levadura en polvo
1 cucharadita de sal marina
Pimienta negra recién molida al gusto
3 tazas de boniato rallado grueso y sin pelar (unos 450 g)
1 cebolla grande, rallada
3/8 de taza de sucedáneo de huevo
1 cucharadita de mantequilla clarificada

1. Precalienta el horno a 100 °C.
2. Bate en una fuente la harina, la levadura en polvo, la sal y la pimienta.
3. Añade el boniato y la cebolla y mézclalo todo bien con una cuchara. Añade el sucedáneo de huevo; por último, haz un todo homogéneo.
4. Calienta la mantequilla a fuego medio-bajo en una sartén antiadherente de 25 cm.
5. Echa 1/4 de taza de la mezcla de patata, comprimiéndola un poco por el centro para hacer una latka redonda y aplastada. Repite el proceso hasta cubrir de latkas el fondo de la sartén. Cocina las latkas durante 5 o 7 minutos por cada cara, o hasta que se doren y caramelicen un poco.
6. Sírvelas con compota de manzanas sin edulcorantes, o con trozos de frutas frescas (como melones, naranjas o fresas).

---

* Las *latkas*, o *latkes*, son una pasta de patatas frita típica de la gastronomía judía. (*N. de la T.*)

FRITADA DE PATATAS

Esta fritada llena mucho en el desayuno, resultando además deliciosa y al mismo tiempo ligera si se sirve acompañada de ensalada verde, lo que la hace idónea para el almuerzo o la comida. Como en el caso de la receta de la fritada anterior, siempre deberías escoger un preparado congelado para hacer tortitas de patata que no contenga grasas añadidas ni conservantes a fin de que resulte equilibrada con respecto al pH.

Ingredientes para 8 raciones

1 cucharada y 1/2 de aceite de oliva suave
2 tazas de preparado congelado para hacer tortitas de patata
1 cebolla pequeña, picada en trozos menudos
1/4 de taza de pimiento rojo o verde picado muy fino
1/2 taza de calabacín rallado
1 taza de sucedáneo de huevo
1/8 de taza de leche de almendras sin endulzar
1 cucharada de parmesano rallado o queso
feta desmenuzado
1/2 cucharadita de albahaca en polvo
1/2 cucharadita de ajo en polvo
1/2 cucharadita de sal marina

1. Precalienta la parrilla del horno a 205 °C.

2. En una sartén refractaria de 25 cm, calienta el aceite a fuego medio-bajo. Añade las patatas y cocínalas, removiendo de vez en cuando, durante 5 o 7 minutos (o hasta que se calienten bien y estén ligeramente crujientes). Trasfiere las patatas a una fuente y resérvalas.

3. Echa la cebolla, el pimiento y el calabacín a la sartén y saltéalos durante 5 minutos, o hasta que estén tiernos. Vuelve a echar las patatas y esparce la mezcla por igual por el fondo. Reduce el calor al mínimo.

4. Combina en un cuenco el sucedáneo de huevo, la leche, el queso, la albahaca, el ajo y la sal. Mézclalo todo bien con una cuchara y échalo por encima de la mezcla de patata y hor-

talizas. Déjalo cocinarse sin removerlo durante 3 minutos, o hasta que el sucedáneo de huevo esté casi cuajado. Retíralo del fuego, tápalo y déjalo reposar durante otros 3 minutos.

5. Destapa la fritada y ponla bajo la parrilla ya precalentada del horno durante 3 minutos (o hasta que se dore). Córtala en trozos grandes y sírvela de inmediato.

¿QUIÉN DESCUBRIÓ EL pH?

La idea de que la acidez de una sustancia se podía determinar mediante la cantidad de iones de hidrógeno que libera cuando se disuelve, la propuso por primera vez a finales del siglo XIX el científico sueco Svante Arrhenius, quien sugería que cuanto más alta fuese la concentración de iones de hidrógeno en una sustancia, más ácida sería ésta. En los años posteriores, una serie de científicos refinó el concepto hasta llegar a la definición de Brønsted-Lowry, que postula que tanto los ácidos como las bases (también llamadas álcalis) afectan al número de iones de hidrógeno liberados por una sustancia. Según esta teoría, los ácidos liberan iones de hidrógeno, mientras que las bases los aceptan e incorporan a su estructura. Finalmente, en 1909, el químico danés Sören Sörensen ideó la escala del pH (referida al potencial –o energía– de los iones de hidrógeno) para medir el grado de acidez y alcalinidad, que va desde el 0, que es el extremo más ácido, hasta el 14, que es el extremo más alcalino, pasando por el 7 (que es el punto neutro).

DESAYUNO CON BURRITOS

Este impresionante desayuno te trasportará a México al primer bocado. Cuantas más verduras emplees en los burritos, más alcalinos serán. Así que... ia por ellos!

Ingredientes para 4 burritos

1 cucharada de aceite de oliva
1 cebolla de tamaño mediano, picada muy fina
1 pimiento morrón rojo de tamaño mediano,
cortado en trozos grandes
1 pimiento morrón verde de tamaño mediano,
cortado en trozos grandes
1 calabacín pequeño, picado muy fino
1/4 de taza de hojas frescas de cilantro picadas muy finas
1/2 cucharadita de sal marina
1 taza de sucedáneo de huevo
1/4 de taza de queso blanco o mozzarella picados muy finos
4 cucharadas de salsa ecológica
4 tortitas de grano germinado o de varios cereales (página 96)

1. Calienta el aceite a fuego medio-bajo en una cazuela de 2,5 litros. Echa la cebolla, los pimientos y el calabacín. Saltéalos durante 5 minutos (o hasta que la cebolla se ponga trasparente).

2. Añade a las verduras anteriores unas hojas de cilantro y un poco de sal y remuévelo todo hasta que se mezcle bien.

3. Añade el sucedáneo de huevo; remueve hasta que cuaje.

4. Coloca las tortitas sobre una superficie plana. Pon cantidades iguales de la mezcla de huevo en mitad de cada masa. Corona cada una con una porción igual de queso y una cucharada de salsa.

5. Enrolla las tortitas para acabar de hacer los burritos. Sírvelos calientes, poniéndoles a cada uno a un lado del plato un poco más de salsa.

BOLLOS RELLENOS DE SALMÓN AHUMADO

A primera hora de la mañana... ¿quién puede resistirse a un bollo recién hecho? Pues aquí tienes un sustituto más alcalino (y más delicioso) de ese bocado tan rico que es el salmón ahumado metido dentro de un bollito.

Ingredientes para 9 bollos

2 cebolletas picadas muy finas
2 cucharadas de salmón ahumado cortado
en dados pequeños (alrededor de 30 g)
1/4 de cucharadita de semillas de eneldo, o 1 cucharadita
de eneldo fresco picado muy fino
2 tazas más 1 cucharada de harina refinada
de espelta, por separado
1 cucharada y 1/2 de levadura en polvo
1/4 de cucharadita de sal marina
3 cucharadas de mantequilla clarificada fundida
1 taza menos 2 cucharadas de agua, a temperatura ambiente

1. Precalienta el horno a 220 °C. Unta una placa de hornear de 23×33 cm con un poco de aceite vegetal, mantequilla clarificada o aceite antiadherente en aerosol; resérvala.
2. En una ensaladera pequeña o un cuenco, mezcla las cebolletas, el salmón ahumado, el eneldo y 1 cucharada de harina.
3. En una ensaladera normal, bate las otras 2 tazas de harina, la levadura en polvo y la sal.
4. Incorpora con cuidado la mezcla de salmón a la mezcla harinosa, procurando que quede distribuida uniformemente.
5. En un cuenco, combina la mantequilla y el agua. Mézclalas bien con una cuchara y viértelas sobre la mezcla de salmón. Dale 10 o 12 vueltas con la cuchara, o hasta que la masa se combine bien.
6. Reparte la masa en 9 montoncitos iguales sobre la placa de hornear que habías preparado antes, espaciándolos con ob-

jeto de que puedan expandirse. Procura hacer los montones más altos que anchos, pues al hornearlos crecerán hacia los lados.

7. Hornea los bollos durante 10 o 12 minutos, o hasta que estén firmes al tacto y ligeramente tostados por la base. Luego deja que se enfríen un poco. Córtalos por la mitad y sírvelos untados con queso crema suave o con una margarina no hidrogenada.

MUESLI DE AVENA CASERO

El muesli de avena ha sido un alimento básico para las familias durante muchos años. Es sabroso, sustancioso y muy fácil de preparar en casa. Y, si los ingredientes son alcalinos –como en la siguiente receta–, tanto mejor para ti.

Ingredientes para 10 tazas

1/4 de taza de mantequilla clarificada
1/4 de taza de sirope de arroz
1/4 de taza de azúcar de caña integral
4 tazas de copos de avena tradicionales
3/4 de taza de coco triturado natural, sin edulcorar
3/4 de taza de pipas de calabaza crudas y peladas
3/4 de taza de pipas de girasol crudas y peladas
1/2 taza de almendras crudas y partidas en trozos grandes
1/4 de taza de harina de coco (opcional)
1/4 de taza de semillas de sésamo crudas
1 o 2 cucharaditas de canela molida
1/2 cucharadita de sal marina
1 taza y 1/2 de uvas pasas negras
1 taza de rodajas de manzana seca, picadas muy finas

1. Precalienta el horno a 160 °C.
2. Combina la mantequilla, el sirope de arroz y el azúcar en una taza medidora apta para el horno. Mézclalo todo bien con una cuchara.
3. En una fuente para el horno de 23×33 cm con mucho fondo, bate bien los copos de avena, el coco, las pipas de calabaza, las pipas de girasol, las almendras, la harina, las semillas de sésamo, la canela molida y sazona con sal.
4. Añade la mezcla de jarabe a la mezcla de avena y remuévelas bien.
5. Reparte de manera uniforme el muesli de avena por la fuente y mete ésta en el horno. Remueve cada 10 minutos; a los 30 minutos (o cuando se seque un poco y se dore). Saca la fuente del horno.

6. Añade las uvas pasas y los trozos de manzana y remueve bien todo hasta ligarlo. Guárdalo en un recipiente hermético y te aguantará unas dos semanas. Si quieres que dure más tiempo, congélalo.

COPOS DE AVENA CON ALMENDRAS, UVAS PASAS Y CANELA

En esta receta las almendras ayudan a alcalinizar el desayuno, pero también le aportan sabor tostado, proteínas muy saludables y una textura crujiente. Para ahorrar tiempo por las mañanas, prepara una olla grande de estos copos al principio de la semana, refrigéralos y ve recalentando raciones a medida que las necesites.

Ingredientes para 10 raciones
2 cucharaditas de mantequilla clarificada
1/4 de taza de almendras fileteadas
4 tazas de agua
2 tazas de copos de avena tradicionales
1 taza de uvas pasas negras
2 cucharadas de azúcar de caña integral
1 cucharadita de canela molida
1/4 de cucharadita de sal marina
Linaza dorada molida
Leche de almendras sin endulzar

1. En una cazuela de 2,5 litros, calienta la mantequilla a fuego bajo. Luego añade las almendras y espera a que se tuesten.
2. Añade el agua, los copos de avena, las uvas pasas, el azúcar, la canela y la sal. Calienta a fuego alto hasta que hierva.
3. Reduce el fuego cuece la mezcla a fuego lento, removiéndola constantemente, durante 10 o 12 minutos (o hasta que los copos de avena adquieran la consistencia deseada).
4. Reparte los copos de avena en cuencos, espolvorea con linaza y añade un poco de leche. Hay que servirlos calientes.

COPOS DE AVENA CON BAYAS DE GOJI Y PIPAS DE CALABAZA

Con su sabor a naranja y arándanos rojos, estos copos de avena son una variedad interesante para romper la rutina diaria; y tienen menos calorías. Aparte de ser deliciosas en sí mismas, las pipas de calabaza y las bayas de goji también ayudan a alcalinizar la receta.

Ingredientes para 10 raciones

2 cucharaditas de mantequilla clarificada
1/4 de taza de pipas de calabaza crudas y peladas
4 tazas de agua
1/2 taza de bayas pasas de goji
Cáscara de 1 naranja
2 tazas de copos de avena tradicionales
2 cucharadas de azúcar de caña integral
1/2 cucharadita de nuez moscada molida
1/4 cucharadita de sal marina
Linaza dorada molida
Leche de almendras sin endulzar

1. Calienta la mantequilla a fuego bajo en una cazuela de 1,5 litros. Añade las pipas de calabaza y tuéstalas.
2. Añade el agua, las bayas de goji y la cáscara de naranja. Deja que cueza a fuego lento.
3. Añade los copos de avena, el azúcar, la nuez moscada y la sal; haz que rompa a hervir a fuego vivo.
4. Reduce el fuego y déjalo cocer a fuego lento, removiéndolo constantemente, de 10 a 12 minutos (o hasta que los copos de avena adquieran la consistencia deseada).
5. Reparte los copos de avena en cuencos individuales. Espolvorea linaza en cada uno y échales un poco de leche; conviene servir caliente.

4

BEBIDAS

Los granizados, batidos y zumos de frutas siempre son refrescantes, sobre todo en los calurosos meses estivales. Cualquier combinación de fruta, proteína de suero purificada y linaza molida resulta una bebida saludable y al mismo tiempo deliciosa. Pero si además añades a la mezcla un poco de caldo de verduras en polvo, tendrás una bebida energética y alcalinizante que sin duda hará que tu organismo funcione con suavidad. Al añadir verduras a los granizados y zumos de frutas, aumentamos su valor nutritivo. Experimenta con un poco de espinacas, col rizada o incluso lechuga romana para hacer estos deliciosos brebajes. Obtendrás todos los beneficios para la salud que ofrecen las verduras, y encima con el delicioso y dulce toque de la fruta. Las siguientes recetas son algunas de mis combinaciones favoritas.

GRANIZADO DE SUERO Y PLÁTANO

Este batido o granizado, rico y saludable, es espléndido para comenzar la jornada; su gran valor nutritivo te mantendrá toda la mañana con energía para dar y tomar.

Ingredientes para 2 raciones

1 plátano de tamaño mediano cortado en trozos
1/2 taza de agua
1 taza de leche de almendras sin endulzar
2 cucharadas de proteína de suero en polvo purificada
y endulzada con stevia
1 cucharada de caldo de verduras en polvo sin sabor
1 cucharada de linaza molida
Una pizca de canela molida
Una pizca de nuez moscada molida
1/2 taza de cubitos de hielo

1. Bate con la batidora el plátano y el agua hasta que la mezcla adquiera la consistencia de una crema o puré ligero.
2. Echa la leche, el suero en polvo, el caldo de verduras, la linaza, la canela y la nuez moscada en el vaso de la batidora y bátelo todo bien.
3. Añade los cubitos de hielo y sigue batiendo hasta que la bebida adquiera una consistencia suave y cremosa.
4. Repártela en dos vasos altos de cristal y... ¡a disfrutar!

GRANIZADO DE FRUTOS DEL BOSQUE VARIADOS

Este granizado, debido al caldo de verduras en polvo y a las bayas, o frutos del bosque, es muy alcalinizante pero tiene un feo color grisáceo. Cierra los ojos para bebértelo, si es necesario, pero te aseguro que sabe muy rico... ino te lo pierdas!

Ingredientes para 2 raciones

1 taza de bayas variadas congeladas, sin azúcar
1/2 taza de agua
1 taza de leche de almendras sin endulzar
2 cucharadas de proteína de suero en polvo
con sabor a vainilla, endulzada con stevia
1 cucharada de caldo de verduras en polvo sin sabor
1 cucharada de linaza molida
1/2 taza de cubitos de hielo

1. Bate las bayas y el agua en el vaso de la batidora. Haz un puré claro.
2. Añade la leche, el suero en polvo, el caldo de verduras en polvo y la linaza; bate hasta ligarlo todo bien.
3. Añade los cubitos de hielo. Sigue batiendo hasta que la bebida adquiera una consistencia suave y cremosa.
4. Sírvela en dos vasos altos de cristal y... ia disfrutar!

PIÑA COLADA

No es un zumo de fruta para uso cotidiano, sino un manjar reservado a ocasiones muy especiales. En cuanto lo bebes empiezas a ver palmeras caribeñas.

Ingredientes para 2 raciones

1/2 taza de de piña fresca o enlatada en trozos pequeños
1/2 taza de agua
1 taza de leche de coco sin edulcorantes
1 taza de leche de almendras sin endulzar
2 cucharadas de proteína de suero en polvo purificada
con sabor a vainilla, endulzada con stevia
1 cucharada de linaza molida
1 taza de cubitos de hielo

---

1. Bate la piña y el agua en el vaso de la batidora. Haz un puré diluido.
2. Añade la leche de coco, la leche de almendras, el suero en polvo y la linaza. Bátelo todo hasta mezclarlo bien.
3. Añade los cubitos de hielo y sigue batiendo hasta que la bebida adquiera una consistencia suave y cremosa.
4. Repártela en dos vasos altos de cristal y... ¡a disfrutar!

GRANIZADO DE POMELO

Si te gusta el pomelo, este granizado te encantará. La acidez del zumo puro se suaviza gracias al suero en polvo con sabor a vainilla.

Ingredientes para 2 raciones

1 taza de zumo de pomelo sin edulcorar
1 taza de leche de almendras sin edulcorar
2 cucharadas de proteína de suero en polvo purificada
con sabor a vainilla, endulzada con stevia
1 cucharada de caldo de verduras en polvo sin sabor
1 cucharada de linaza molida
1 taza de cubitos de hielo

1. Mete todos los ingredientes menos los cubitos de hielo en el vaso de la batidora y bátelos hasta obtener un puré ligero.
2. Añade los cubitos de hielo y sigue batiendo hasta que la bebida adquiera una consistencia suave y cremosa.
3. Repártela en dos vasos altos de cristal y... ¡a disfrutar!

ZUMO DE ZANAHORIA Y PIÑA

Este zumo es una forma excelente de tomar zanahoria y semillas sin sentir. El sabor del zumo de piña domina, combinando perfectamente.

Ingredientes para 2 raciones

1 zanahoria de tamaño mediano, pelada y cortada en trozos grandes
1 taza de agua
2 tazas de zumo de piña sin edulcorar
2 cucharadas de proteína de suero en polvo purificada
con sabor a vainilla, endulzada con stevia
1 cucharada de linaza molida
1/2 taza de cubitos de hielo

1. Bate la zanahoria y el agua en el vaso de la batidora. Haz un puré sin grumos.
2. Añade el zumo de piña, el suero en polvo y la linaza. Bátelo hasta mezclarlo todo bien.
3. Añade los cubitos de hielo y sigue batiendo hasta que la bebida adquiera una consistencia suave y cremosa.
4. Repártela en dos vasos altos de cristal y... ¡a disfrutar!

BATIDO DE MANZANA Y CANELA

Es una bebida excelente que te sentará de maravilla, ¡y además es rápida de preparar!

Ingredientes para 2 raciones

2 manzanas de tamaño mediano, peladas, sin corazón
y cortadas en trozos
1 taza de zumo de manzana natural, sin edulcorar
1 taza y 1/2 de leche de almendras con sabor a vainilla, sin azúcar
2 cucharadas proteína de suero en polvo purificada
con sabor a vainilla, endulzado con stevia
1 cucharada de linaza molida
1 cucharadita de azúcar de caña integral
1/2 cucharadita de canela molida
1/2 taza de cubitos de hielo

1. Bate las manzanas y el zumo de manzana en el vaso de la batidora. Haz un puré ligero.
2. Añade la leche, el suero en polvo, la linaza, el azúcar y la canela; bátelo hasta mezclarlo todo bien.
3. Añade los cubitos de hielo y sigue batiendo hasta que la bebida adquiera una consistencia suave y cremosa.
4. Sírvela en dos vasos altos de cristal y... ¡a disfrutar!

GRANIZADO DE MANGO

Esta bebida tiene un aroma tropical que sin duda te abrirá los ojos a primera hora de la mañana.

Ingredientes para 2 raciones

1 taza de mango en trozos, fresco o congelado
1 taza de zumo de piña sin azúcar
1/2 plátano de tamaño mediano, cortado en rodajas
1/2 taza de leche de almendras sin endulzar
1 cucharada de linaza molida
1/2 taza de cubitos de hielo

1. Bate el mango, el zumo de piña y el plátano en el vaso de la batidora. Haz un puré fino.
2. Añade la leche y la linaza. Bátelo bien hasta mezclarlo.
3. Añade los cubitos de hielo y sigue batiendo hasta que la bebida adquiera una consistencia suave y cremosa.
4. Repártela en dos vasos altos de cristal y... ¡a disfrutar!

BATIDO DE CHOCOLATE Y ALMENDRAS

Ya sabías que tenía que haber una receta de chocolate en este capítulo, ¿verdad? Gusta por igual a niños y adultos. Pues bien, aquí tienes un batido que no hará que te sientas culpable después.

Ingredientes para 2 raciones

2 tazas y 1/2 de leche de almendras sin endulzar
2 cucharadas de proteína de suero en polvo purificada
con sabor a vainilla, endulzada con stevia
2 cucharadas de mantequilla de almendra
2 cucharadas de cacao en polvo
1 cucharada de azúcar de caña integral
1/2 taza de cubitos de hielo

1. Bate todos los ingredientes excepto los cubitos de hielo en el vaso de la batidora. Haz un puré fino.
2. Añade los cubitos de hielo y sigue batiendo hasta que la bebida adquiera una consistencia suave y cremosa.
3. Sírvela en dos vasos altos de cristal y... ¡a disfrutar!

BATIDO DE FRESA Y VAINILLA

La combinación de la fresa y la vainilla es sencillamente perfec-ta. En verano, esta deliciosa bebida es muy refrescante.

Ingredientes para 2 raciones

1 taza de fresas frescas o congeladas
1 taza de agua
1 taza de leche de almendras con sabor a vainilla y sin edulcorar
2 cucharadas de proteína de suero en polvo purificada
con sabor a vainilla, endulzada con stevia
1 cucharada de linaza molida
1/2 taza de cubitos de hielo

1. Bate las fresas y el agua en el vaso de la batidora. Haz un puré fino.
2. Añade la leche, el suero en polvo y la linaza. Bátelo bien hasta mezclarlo todo.
3. Añade los cubitos de hielo y sigue batiendo hasta que la bebida adquiera una consistencia suave y cremosa.
4. Repártela en dos vasos altos de cristal y... ¡a disfrutar!

GRANIZADO DE NARANJA

Esta bebida me hace literalmente feliz, pues contiene mucha vitamina C que protege toda la jornada.

Ingredientes para 2 raciones

1 taza de rodajas de mandarina seca enlatada, sin azúcar
1 taza de zumo de naranja
2 cucharadas de zumo de limón recién exprimido
1 taza de leche de almendras sin endulzar
2 cucharadas de proteína de suero en polvo purificada
con sabor a vainilla, endulzada con stevia
1 cucharada de azúcar de caña integral
1/2 taza de cubitos de hielo

1. Bate las mandarinas, el zumo de naranja y el zumo de limón en el vaso de la batidora. Haz un puré fino y homogéneo.
2. Añade la leche, el suero en polvo, el azúcar y los cubitos de hielo y sigue batiendo hasta que la bebida adquiera una consistencia suave y cremosa.
3. Sírvela en dos vasos altos de cristal y... ¡a disfrutar!

5

PANES, BOLLOS Y GALLETAS

¿A quién no le gusta la esponjosidad de un bollo o panecillo, la crujiente corteza de una hogaza o la textura de una galleta recién hecha? Afortunadamente, seguir una dieta equilibrada para el pH no implica que debas renunciar a esos estupendos productos hechos al horno. El objetivo de este libro de cocina no es negar estos placeres gastronómicos, sino ayudarte a disfrutarlos sin sufrir los perniciosos efectos que los ingredientes típicos causan en tu organismo. Aunque algunas de las siguientes recetas no contengan exactamente los componentes tradicionales, te aseguro categóricamente que no han perdido nada en sabor.

Te encantará morder un bollito caliente u olfatear el aroma del pan recién hecho. No hay nada como saborear una galleta recién salida del horno, o la satisfacción de preparar un sándwich vegetal con una tortilla* preparada por ti mismo. A lo largo de este capítulo aprenderás a compartir estos maravillosos momentos sin tener que preocuparte por el pH.

---

* En castellano en el original. *(N. de la T.)*

Pan ácimo (sin levadura) con semillas

Este sustancioso pan es delicioso tanto al natural como tostado. La falta de levadura lo hace considerablemente menos acidificante que la mayoría, y es un poco más denso de lo que puedes estar acostumbrado a comer. Para cortar rebanadas, usa un cuchillo sin dientes y afilado.

Ingredientes para 2 panes de 23×13 cm

8 tazas de harina refinada de espelta
1/2 taza de semillas de sésamo crudas
2 cucharaditas de levadura en polvo
1/2 cucharadita de sal marina
4 tazas y 1/4 de leche de almendras sin endulzar
1 cucharada de melaza

1. Precalienta el horno a 180 °C. Cubre el interior de dos moldes paneros de 23×13 cm con un poco de aceite vegetal o mantequilla clarificada. Resérvalos.

2. En una fuente honda, bate en seco la harina, las semillas de sésamo, la levadura en polvo y la sal. Haz un hoyo en el centro.

3. Añade la leche y la melaza a los ingredientes secos removiendo rápidamente hasta que se forme una masa consistente.

4. Reparte la masa uniformemente entre los dos moldes ya preparados. Golpea el fondo de cada molde contra la encimera para eliminar cualquier bolsa de aire. Cubre los moldes con papel de aluminio para impedir que se agriete la parte superior de cada pan.

5. Hornea durante 40 minutos. Saca los moldes del horno, quítales el papel de aluminio y vuelve a meterlos para hornearlos durante otros 30 minutos (o hasta que puedas clavar un palillo de dientes en el centro de la masa y sacarlo después limpio).

6. Deja que los panes se enfríen dentro del molde durante por lo menos 5 minutos antes de trasferirlos a una panera.

PAN DE ESPELTA DE MÁQUINA

Aunque esta receta contenga levadura, es mucho más alcalina que la mayoría de los panes caseros o comprados. Si tienes problemas de salud relacionados con la levadura, sin embargo, te recomiendo que optes directamente por el pan ácimo de la receta anterior.

Ingredientes para 1 un pan de 900 g

1 taza de leche de almendras sin endulzar
1/2 taza de agua
2 cucharadas de aceite de oliva suave
2 cucharadas de azúcar de caña integral
1 cucharadita de sal marina
4 tazas de harina refinada de espelta, o 2 tazas de harina refinada de espelta y 2 tazas de harina integral de espelta (por ese orden)
1 cucharada y 1/2 de levadura para pan

1. Pon todos los ingredientes en la fuente de la máquina para hacer pan y en el orden indicado.
2. Selecciona el ciclo rápido (que tiene sólo 2 vueltas) y pulsa *Inicio*.

HOGAZA DE PAN RÚSTICO

Esta receta es increíblemente fácil de preparar y no es acidificante porque no contiene levadura. Para darle un toque campestre, sácalo del horno unos minutos antes de estar hecho, cúbrelo con verduras a la parrilla y vuelve a meterlo en el horno durante el tiempo restante. Ya sea solo o con guarnición, te va a encantar.

Ingredientes para una fuente de 23×33 cm

2 tazas de harina refinada de espelta
2 cucharaditas de levadura en polvo
1/2 cucharadita de sal marina
1 taza de agua tibia
1 cucharada más 1/2 cucharadita de aceite
de oliva virgen extra, por separado
1 cucharada de queso parmesano rallado
1 cucharadita de romero seco triturado
1/2 cucharadita de sal de ajo

1. Precalienta el horno a 220 °C. Cubre el interior de una fuente para el horno de 23×33 cm con un poco de aceite vegetal o mantequilla clarificada, o fórralo por dentro con papel parafinado; resérvala.

2. En una fuente honda, bate en seco la harina, la levadura en polvo y la sal. Haz un hoyo en el centro.

3. En un cuenco, combina el agua y 1/2 cucharadita de aceite. Remueve hasta que el líquido esté bien mezclado; luego échalo en el centro de los ingredientes secos. Mezcla rápidamente con una cuchara hasta se forme una masa pegajosa y elástica.

4. Úntate las manos de aceite. Pon la masa sobre una superficie enharinada y amásala hasta formar con ella una bola.

5. Coloca la bola de masa sobre la placa de hornear ya preparada y aplástala con las manos hasta que tenga sólo un 1,25 cm de grosor, más o menos.

6. Unta la parte superior y el borde de la hogaza con la cuchara- da de aceite restante. Sazona con queso, romero y sal de ajo.

7. Hornea durante 25 minutos, o hasta que la corteza se tueste.

8. Para ponerle algún ingrediente adicional, saca la hogaza del horno al cabo de sólo 20 minutos, reparte el ingrediente por encima y vuelve a hornearlo durante otros 5 minutos.

9. Deja que el pan se enfríe por lo menos 5 minutos antes de trasferirlo a la panera.

PAN DE KAMUT

Es uno de mis panes favoritos. Es rápido y fácil de preparar y va estupendamente con las salsas frías para mojar y untar.

Ingredientes para un pan redondo de 20 cm

1 taza de leche de almendras sin endulzar
1 cucharada de vinagre de sidra
2 tazas de harina de kamut
1 cucharada de azúcar de caña integral
2 cucharaditas de levadura en polvo
1/2 cucharadita de sal marina
2 cucharadas de aceite de oliva

---

1. Precalienta el horno a 230 °C. Unta una placa de hornear de 23×33 cm con un poco de aceite vegetal o mantequilla clarificada, o fórrala con papel parafinado, y resérvala.
2. Combina la leche y el vinagre en un cuenco. Remueve hasta que estén bien mezclados y deja reposar la mezcla mientras preparas los ingredientes secos.
3. En una fuente de tamaño mediano, bate en seco la harina, el azúcar, la levadura en polvo y la sal. Haz un hoyo en el centro.
4. Añade el aceite a la leche y el vinagre y remueve hasta mezclarlos bien.
5. Echa el líquido obtenido en medio de los ingredientes secos y mezcla rápidamente con una cuchara hasta que se forme una masa suave pero consistente.
6. Úntate las manos de aceite. Pon la masa sobre la placa de hornear ya preparada y dale una forma redonda de unos 20 cm de diámetro y 1,25 cm de grosor. Pincha la cara superior del pan con un tenedor.
7. Hornea el pan durante 10 o 12 minutos, o hasta que esté tostado. Córtalo en porciones mientras sigue caliente y sírvelo.

LOS DIEZ ALIMENTOS MÁS ALCALINIZANTES

Con tantos alimentos alcalinizantes deliciosos para escoger, leerse todas las opciones puede parecer un tanto abrumador. Aquí tienes una lista con los diez productos más importantes, lo mejor de lo mejor.

1. Espárragos	6. Col rizada
2. Apio	7. Quelpo
3. Castañas	8. Miso
4. Cítricos	9. Cebollas
5. Col verde	10. Boniatos

TORTILLAS* DE CEREALES VARIADOS

Usa estas tortillas para hacer burritos, tacos o incluso sándwiches. Están absolutamente deliciosas con un relleno de verduritas asadas, un poco de mayonesa de almendras (página 159) y una buena cucharada de pesto con semillas de calabaza (página 191).

Ingredientes para 12 tortillas de 13 cm

2 tazas de harina refinada de espelta, o 1 taza de harina refinada
de espelta y 1 taza de harina de amaranto o de kamut
1 cucharadita de sal marina
3 cucharadas de mantequilla clarificada
3/4 de taza de agua caliente

1. Bate en seco la harina y la sal en una fuente honda.
2. Añade la mantequilla y mézclala con un tenedor, con un cortador de masa o incluso con los dedos.
3. Añade el agua gradualmente, mezclándola bien con una cuchara, hasta obtener una masa pegajosa.
4. Úntate las manos de aceite. Pon la masa sobre una superficie enharinada y amásala durante 2 o 3 minutos, o hasta que adquiera una consistencia firme.
5. Cubre la masa con un paño y déjala reposar 15 minutos.
6. Divide la masa en 12 bolas iguales. Cúbrelas y déjalas reposar de 45 minutos a 1 hora.
7. Sobre una superficie enharinada, usa el rodillo de cocina para aplastar cada bola hasta formar una tortilla lo más fina posible (aproximadamente de 0,3 cm).
8. Calienta en seco una sartén de hierro fundido de 30 cm a fuego medio-alto hasta que al echar una gota de agua en el fondo se ponga a crepitar.

---

* En castellano en el original. (*N. de la T.*)

9. Pon una de las tortillas en la sartén y tuéstala durante un par de minutos, o hasta que la masa parezca seca y empiecen a aparecer puntos marrones en la parte de abajo. La masa debería crecer hasta alcanzar un grosor de 1, 25 cm más o menos.

10. Dale la vuelta a la tortilla y cocina la otra cara durante 1 o 2 minutos. Asegúrate de que no se ponga crujiente por cocerla demasiado.

11. Conserva las tortillas ya hechas envolviéndolas en papel encerado o en un paño de cocina húmedo hasta el momento de servirlas.

Consejo útil

Puedes sazonar estas tortillas con cualquier combinación de especias. Cuando experimentes con condimentos, mezcla las especias en polvo con los ingredientes secos y los condimentos frescos con los ingredientes líquidos. Yo suelo dar un toque verde a la receta añadiendo un par de cucharadas de caldo de verduras en polvo sin edulcorar. También puedes usar pesto: sustituye 2 cucharadas de pesto con semillas de calabaza (página 191) por la cantidad equivalente de mantequilla clarificada, o añade un poco de tomate seco en polvo para darle ese sabor.

GALLETAS DE ESPELTA SAZONADAS CON HIERBAS

Estas galletas no sólo son rápidas de hacer y muy ricas, sino también mucho menos grasas que la mayoría de los pasteles o galletas hechas al horno. Sírvelas junto con un cuenco humeante de sopa de verduras; o úntalas con una pequeña cantidad de queso crema y acompáñalas con una guarnición de verduras marinadas.

Ingredientes para 12 galletas

2 tazas de harina refinada de espelta
1/4 de taza de cebollinos frescos picados muy finos
1 cucharada y 1/2 de levadura en polvo
1/2 cucharadita de romero en polvo
1/2 cucharadita de tomillo en polvo
1/4 de cucharadita de sal marina
7/8 de taza de agua tibia
3 cucharadas de mantequilla clarificada fundida
o aceite de oliva

1. Precalienta el horno a 220 °C. Unta una placa de hornear de 23×33 cm con un poco de aceite vegetal o mantequilla clarificada –o fórrala con papel parafinado– y resérvala.

2. En una fuente grande, bate en seco la harina, los cebollinos, la levadura en polvo, el romero, el tomillo y la sal. Haz un hoyo en el centro.

3. En una fuente de tamaño mediano, combina el agua y la mantequilla. Remueve hasta que se mezclen bien.

4. Añade el líquido a los ingredientes secos. Mezcla bien con una cuchara hasta que la masa adquiera consistencia (unas 10 o 12 vueltas). Ayudándote de una cuchara, pon 12 montoncitos de masa circulares sobre la placa de hornear ya preparada.

5. Hornea durante 10 o 12 minutos, o hasta que la parte de abajo de las galletas esté tostada. Sírvelas calientes, untadas con mantequilla clarificada (página 44).

BOLLOS DE ESPELTA RELLENOS DE GROSELLAS

En vez de conformarte con un dónut y un café durante el descanso de la mañana, tómate una taza de una buena infusión de hierbas y uno de estos riquísimos bollos redondos. ¡Te lo agradecerás durante el resto del día!

Ingredientes para 8 bollos redondos grandes

3 tazas de harina refinada de espelta
2/3 de taza de grosellas
4 cucharaditas de levadura en polvo
1/4 de cucharadita de sal marina
6 cucharadas de mantequilla clarificada fría
1 taza de leche de almendras sin endulzar
1/3 de taza de sirope de arroz

1. Precalienta el horno a 200 °C. Unta una placa de hornear de 23×33 cm con un poco de aceite vegetal o mantequilla clarificada, o fórrala con papel parafinado, y resérvala aparte.

2. En una fuente honda, bate en seco la harina, las grosellas, la levadura en polvo y la sal.

3. Añade la mantequilla a los ingredientes secos y mézclala bien con un tenedor hasta que la masa se desmenuce con facilidad. Haz un hoyo en el centro.

4. En una fuente de tamaño mediano, combina la leche y el sirope de arroz. Remueve hasta que se mezclen bien.

5. Añade el líquido a los ingredientes secos y mézclalo todo bien con una cuchara, pero no demasiado. Deja que la masa repose durante 5 minutos.

6. En la placa de hornear ya preparada, aplasta la masa con las manos o con un rodillo hasta darle un grosor de 2 cm. Emplea un cuchillo afilado para dividirla en 8 porciones.

7. Hornea durante 18 o 20 minutos (o hasta que los bordes empiecen a dorarse, y puedas clavar un palillo de dientes en el centro de la masa y sacarlo luego limpio).

8. Divide las porciones y ponlas en una parrilla durante unos minutos para que se enfríen. Sírvelo templado.

Magdalenas saladas de calabacín y uvas pasas

Estos bollos son increíblemente buenos y llenan mucho. Nadie sabrá que están hechos con sanos ingredientes alcalinos. Para darle un toque de sabor, añade una fruta –como albaricoques picados muy finos– o espolvoréalos con pipas de girasol o con almendras picadas.

Ingredientes para 12 magdalenas

6 cucharadas de agua
2 cucharadas de linaza molida
1 taza y 1/2 de leche de almendras sin endulzar
1 taza y 1/2 de uvas pasas negras
1 taza y 1/2 de calabacín rallado
1/3 de taza de melaza
1/3 de taza de azúcar de caña integral
1/4 de taza de compota de manzanas sin edulcorantes
1/4 de taza de mantequilla clarificada fundida
3 tazas de harina refinada de espelta
1 cucharada de levadura en polvo
2 cucharaditas de canela molida
1 cucharadita de bicarbonato sódico
1/2 cucharadita de sal marina

1. Precalienta el horno a 190 °C. Unta un molde para 12 magdalenas con un poco de aceite vegetal o mantequilla clarificada –o usa moldes de silicona o de papel– y resérvalo.

2. En una fuente honda, combina el agua y la linaza. Remueve hasta mezclarlo bien y déjalo reposar durante 10 minutos. Añade la leche, las uvas pasas, el calabacín, la melaza, el azúcar, la compota de manzanas y la mantequilla. Remueve hasta ligarlo.

3. En otra fuente parecida, bate en seco la harina, la levadura en polvo, la canela, el bicarbonato sódico y la sal. Haz un hoyo en el centro.

4. Vierte el líquido en el medio de los ingredientes secos y mézclalo bien con una cuchara hasta ligarlo.
5. Reparte la masa por igual entre los moldes ya preparados. Hornea durante 35 minutos (o hasta que puedas clavar un palillo de dientes en el centro de una magdalena y sacarlo después limpio).
6. Deja que las magdalenas se enfríen en sus moldes durante no más de 2 minutos antes de trasferirlas a una fuente o cesta.

MAGDALENAS DE AVENA Y PLÁTANO

¿No puedes decidirte entre los copos de avena y el pan de plátano? No te preocupes: ahora estos bollos tan sabrosos te proporcionarán lo mejor de ambos mundos.

Ingredientes para 12 magdalenas

2 tazas de harina refinada de espelta
1 taza de copos de avena tradicionales
1/2 taza de azúcar de caña integral
1 cucharada de levadura en polvo
1 cucharadita de bicarbonato sódico
1/4 de cucharadita de sal marina
1 taza de leche de almendras con sabor
a vainilla sin edulcorantes
1 taza de plátano triturado
1/2 taza de compota de manzanas sin edulcorantes
1/4 de taza de mantequilla clarificada

1. Precalienta el horno a 210 °C. Unta un molde para 12 magdalenas con un poco de aceite vegetal o mantequilla clarificada –o usa moldes de silicona o papel– y resérvalo.

2. En una fuente de tamaño mediano refractaria, bate en seco la harina, los copos de avena, el azúcar, la levadura en polvo, el bicarbonato sódico y la sal. Haz un hoyo en el centro.

3. En una fuente grande, combina la leche, el plátano, la compota de manzanas y la mantequilla. Mézclalos bien con una cuchara hasta ligarlos.

4. Añade el líquido a los ingredientes secos y mézclalo todo bien.

5. Reparte la masa por igual entre los moldes ya preparados. Hornea durante 25 minutos (o hasta que puedas clavar un palillo de dientes en el centro de una magdalena y sacarlo después limpio).

6. Deja que las magdalenas se enfríen en sus moldes durante no más de 2 minutos antes de trasferirlas a una fuente o plato grande.

MAGDALENAS DE GOJI

Si te encantan los bollos de arándanos rojos pero quieres evitar su acidez, prueba esta receta. Al sustituir los arándanos agrios por bayas de goji pasas, conservarás el sabor penetrante que esperas, pero... ¡en un tentempié alcalinizante!

Ingredientes para 12 magdalenas

1 taza de agua hirviendo
1 taza de bayas de goji pasas
1 taza de copos de avena tradicionales
2 cucharadas de linaza molida
1 taza y 1/2 de harina refinada de espelta
1 taza y 1/2 de harina de avena
3/4 de taza de azúcar de caña integral
2 cucharaditas de levadura en polvo
1 cucharadita de bicarbonato sódico
1/2 taza de leche de almendras sin endulzar
1/2 taza de compota de manzanas sin edulcorantes
1/2 taza de mantequilla clarificada fundida
Zumo de 1 naranja
Cáscara de 1 naranja

1. Precalienta el horno a 190 °C. Unta un molde para 12 magdalenas con un poco de aceite vegetal o mantequilla clarificada –o usa moldes de silicona o papel– y resérvalo.

2. En una fuente de tamaño mediano resistente al calor, combina el agua hirviendo, las bayas de goji, los copos de avena y la linaza. Remueve hasta mezclarlo bien y déjalo reposar durante 10 minutos.

3. En una fuente grande, bate en seco las harinas, el azúcar, la levadura en polvo y el bicarbonato sódico. Haz un hoyo en el centro.

4. En una fuente pequeña o cuenco, combina la leche, la compota de manzanas, la mantequilla, y el zumo y la cáscara de naranja. Mezcla bien con una cuchara hasta ligarlo. Añade el agua a la mezcla.

5. Echa el líquido en medio de los ingredientes secos y mézclalo todo bien.

6. Divide la masa por igual entre los moldes ya preparados. Hornea durante 35 minutos (o hasta que puedas clavar un palillo de dientes en el centro de una magdalena y sacarlo después limpio).

7. Deja que las magdalenas se enfríen en sus moldes durante no más de 2 minutos antes de trasferirlas a una fuente o cesta.

MAGDALENAS DE AVENA, MANZANA Y FRUTOS SECOS

Estos bollos son el manjar perfecto para un día frío en el que no apetece salir. La deliciosa combinación de manzanas, canela y pipas de calabaza hace que te sientas a salvo, abrigado y satisfecho.

Ingredientes para 12 magdalenas

1 taza y 1/3 de harina refinada de espelta
1 taza de copos de avena tradicionales
1/2 taza de azúcar de caña integral
1 cucharada de levadura en polvo
1 cucharada y 1/2 de canela molida
1 cucharadita de bicarbonato sódico
1 taza de manzanas peladas y picadas muy finas
1/2 taza de leche de almendras sin endulzar
1/2 taza de pipas de calabaza crudas, peladas y picadas muy finas, anacardos sin sal o nueces de macadamia
1/4 de taza de compota de manzanas sin edulcorantes
1/4 de taza de mantequilla clarificada fundida
1/4 de taza de sirope de arroz

1. Precalienta el horno a 210 °C. Unta un molde para 12 magdalenas con un poco de aceite vegetal o mantequilla clarificada –o usa moldes de silicona o papel– y resérvalo.

2. En una fuente grande, bate en seco la harina, los copos de avena, el azúcar, la levadura en polvo, la canela y el bicarbonato sódico. Haz un hoyo en el centro.

3. En una fuente de tamaño mediano, combina las manzanas, la leche, las pipas de calabaza, la compota de manzanas, la mantequilla y el sirope de arroz. Mézclalo bien todo con una cuchara.

4. Echa el líquido en medio de los ingredientes secos y mézclalo bien.

5. Reparte la masa por igual entre los moldes ya preparados. Hornea durante 15 o 20 minutos (o hasta que puedas clavar un palillo de dientes en el centro de una magdalena y sacarlo después limpio).

6. Deja que las magdalenas se enfríen en sus moldes durante no más de 2 minutos antes de trasferirlas a una fuente o cesta.

MAGDALENAS DE CHOCOLATE CON SORPRESA

Estas magdalenas les gustan a los niños a todas horas. No sólo tienen un sabor maravillosamente rico a chocolate, sino que también contienen una deliciosa sorpresa de coco en el centro. Procura no quedarte sin ninguno para ti...

Ingredientes para 12 magdalenas

1 taza y 1/2 de harina refinada de espelta
1 taza y 1/2 de harina de teff

2/3 de taza de azúcar de caña integral
1/4 de taza de cacao de cultivo biológico
1 cucharada de levadura en polvo
1 cucharadita de bicarbonato sódico
1 taza y 1/2 de leche de almendras con sabor a vainilla, sin azúcar
1/4 de taza de mantequilla clarificada a temperatura ambiente
1/4 de taza de compota de manzanas sin edulcorantes

Ingredientes para el relleno de coco

1/2 taza de coco desmenuzado sin azúcar
60 g de queso crema
2 cucharadas de sirope de arroz
2 cucharadas de sucedáneo de huevo
1/2 cucharadita de stevia (1 bolsa)

1. Precalienta el horno a 210 °C. Unta un molde para 12 magdalenas con un poco de aceite vegetal o mantequilla clarificada –o usa moldes de silicona o papel– y resérvalo.
2. En un cuenco, combina todos los ingredientes del relleno de coco. Mézclalos bien con una cuchara. Ponlo a reposar en la nevera mientras preparas la masa.
3. Para preparar la masa, bate en seco las harinas, el azúcar, el cacao, la levadura en polvo y el bicarbonato sódico en una fuente honda de tamaño mediano. Haz un hoyo en el centro.
4. En un cuenco, combina la leche, la mantequilla y la compota de manzanas. Mézclalas bien con una cuchara hasta ligarlas.

5. Echa el líquido en medio de los ingredientes secos y mézclalo todo bien.

6. Ayúdate de una cuchara para poner un poco de masa en cada molde, lo justo para cubrir el fondo. Añade 1 cucharadita de relleno de coco por molde, y luego cúbrelo con el resto de la masa.

7. Hornea durante 30 minutos (o hasta que puedas clavar un palillo de dientes en el centro de una magdalena y sacarlo después limpio).

8. Deja que las magdalenas se enfríen en sus moldes durante no más de 2 minutos antes de trasferirlas a una fuente o cesta.

MAGDALENAS DE MANTEQUILLA DE ALMENDRAS Y MERMELADA

Si eres un amante de los sándwiches de crema de cacahuete y mermelada, estas magdalenas te pintarán una sonrisa en la cara. Es increíble que un poco de mermelada enterrada dentro de un bollo pueda hacer de él un manjar tan sabroso. Al primer bocado te sentirás en la infancia otra vez.

Ingredientes para 12 magdalenas

1 taza de mantequilla de almendra
1/4 de taza de sucedáneo de huevo
2 cucharadas de mantequilla clarificada fundida
1/2 taza de azúcar de caña integral
1 taza de leche de almendras sin endulzar
1 taza y 1/2 de harina refinada de espelta
1 cucharada de levadura en polvo
1/2 cucharadita de bicarbonato sódico
1/4 de cucharadita de sal marina
4 cucharadas de mermelada de frambuesa o fresa

1. Precalienta el horno a 210 °C. Unta un molde de 12 magdalenas con un poco de aceite vegetal o mantequilla clarificada –o usa moldes de silicona o papel– y resérvalo.

2. En una fuente grande, combina la mantequilla de almendra, el sucedáneo de huevo y la mantequilla clarificada. Mézclalo todo bien con una cuchara hasta ligarlo.

3. Añade el azúcar y mézclalo todo bien. Añade la leche removiendo.

4. En una fuente de tamaño mediano, bate en seco la harina, la levadura en polvo, el bicarbonato sódico y la sal. Haz un hoyo en el centro.

5. Añade el líquido en el medio de los ingredientes secos y mézclalo todo hasta ligarlo.

6. Ayúdate de una cuchara para poner un poco de masa en cada molde, lo justo para cubrir el fondo. Añade una cucharadita de mermelada por molde y cubre con el resto de la masa.

7. Hornea durante 15 minutos (o hasta que puedas clavar un palillo de dientes en el centro de una magdalena y sacarlo después limpio, y todos ellos estén tostados).

8. Deja que los bollos se enfríen en sus moldes durante no más de 2 minutos antes de traspasarlos a una fuente o una cesta.

«El hombre superior cultiva un entorno amistoso, sin debilidad; ¡cuán firme es en su fortaleza! Se yergue en el centro y no se inclina hacia ningún lado».

—Confucio, filósofo

MAGDALENAS DE HARINA DE GARBANZOS

Estas magdalenas son estupendas como tentempié, junto con un plato de sustanciosa sopa. Úntalos con hummus o baba ganoush para darles un sabor único.

Ingredientes para 12 magdalenas

2 cucharadas de tomates secos picados muy finos
1 cucharada de trozos pequeños de cebolla seca
7/8 de taza de agua hirviendo
1 taza y 1/2 de harina de garbanzos
1/2 taza de harina refinada de espelta
2 cucharaditas de levadura en polvo
2 cucharaditas de albahaca en polvo
1 cucharadita de azúcar de caña integral
1/4 de cucharadita de sal marina
1 taza de calabacín rallado
1/4 de taza de sucedáneo de huevo
3 cucharadas de aceite de oliva virgen extra

1. Precalienta el horno a 180 °C. Unta un molde para 12 magdalenas con un poco de aceite vegetal o mantequilla clarificada –o usa moldes de silicona o papel– y resérvalo.

2. En una fuente resistente al calor de tamaño mediano, pon a remojar el tomate y la cebolla durante 15 minutos.

3. En una fuente grande, bate en seco las harinas, la levadura en polvo, la albahaca, el azúcar y la sal. Haz un hoyo en el centro.

4. Añade el calabacín, el sucedáneo de huevo y el aceite al agua de remojo y remueve bien hasta ligarlo (antes asegúrate de que el agua se ha enfriado, con objeto de que el sucedáneo no cuaje).

5. Echa el líquido en mitad de los ingredientes secos y mézclalo todo bien con una cuchara.

6. Reparte la masa por igual entre los moldes ya preparados. Hornea durante 15 o 20 minutos (o hasta que puedas clavar

un palillo de dientes en el centro de una magdalena y sacarlo después limpio).

7. Deja que las magdalenas se enfríen en sus moldes durante no más de 2 minutos antes de trasferirlos a una fuente o cesta.

«Lo que tenemos detrás y lo que tenemos delante no es nada comparado con lo que tenemos dentro».

–Ralph Waldo Emerson, escritor

6

Aperitivos y salsas frías

Los aperitivos, que con frecuencia se mantienen en segundo plano frente a los desayunos, las comidas o las cenas, son ciertamente el héroe olvidado del día típico; satisfacen nuestro apetito entre comidas, nos dan energía en los momentos en que la necesitamos y completan nuestra nutrición. Como los productos comprados suelen contener azúcares refinados y otros ingredientes acidificantes, he ideado algunas alternativas equilibradas con respecto al pH que puedes preparar fácilmente en tu casa.

Tanto si eres goloso como si prefieres los aperitivos salados, las siguientes recetas sin duda van a satisfacerte. Encontrarás sabrosas y sustanciosas salsas frías para mojar, cremas de verduras y salsas; los puedes ofrecer en fiestas y reuniones de amigos. Pero, si te apetece un postre para tomarlo mientras ves una película en casa, los manjares dulces de este capítulo –con sabores riquísimos como limón, chocolate y coco– te satisfarán sin acidificar tu pH orgánico. Estas viandas tienden a desaparecer rápido, sin embargo, así que tal vez sea buena idea prepararlas en cantidad.

MEZCLA DE FRUTOS SECOS VARIADOS Y ESPECIAS

Este aperitivo se conserva bien durante dos semanas en un recipiente hermético. Disfrútalo tú o regálaselo a otros, guárdalos en una caja forrada con papel parafinado o en un tarro hermético.

Ingredientes para 5 tazas

1 cucharadita de granos de cilantro molidos
1/2 cucharadita de guindilla en polvo
1/2 cucharadita de molido comino
1/2 cucharadita de sal de ajo
1/4 de cucharadita de cayena
1/4 de cucharadita de canela molida
1/4 de cucharadita de jengibre en polvo
2 cucharadas de aceite de oliva suave
2 tazas de almendras enteras
2 tazas de pacanas divididas por la mitad
1/2 taza de pipas de calabaza crudas peladas
1/2 taza de pipas de girasol crudas peladas
1 cucharada de sal marina gorda

1. Precalienta el horno a 150 °C. Forra una fuente para el horno de 23×33 cm con papel parafinado y resérvala.

2. En un cuenco, bate los granos de cilantro, la guindilla en polvo, el comino, la sal de ajo, la cayena, la canela y el jengibre. Resérvalo.

3. En una sartén de 20 cm antiadherente, calienta el aceite a fuego bajo. Añade la mezcla de especias y tuéstala durante 3 o 4 minutos, removiendo a menudo.

4. En una fuente, combina los frutos secos y las semillas. Añade la mezcla de especias y remueve bien.

5. Esparce la mezcla en la fuente para el horno ya preparada y hornéala durante 15 minutos, sacudiéndola un poco cada 5 minutos.

6. Espolvorea con sal marina y un poco más de sal de ajo, si lo deseas. Deja que se enfríe del todo en la fuente y sirve.

SALSA FRÍA DE CILANTRO

El caldo de verduras en polvo alcaliniza considerablemente la receta, pero las hojas de cilantro, las cebolletas y la salsa picante la hacen muy energizante.

Ingredientes para 1 taza y 1/2

3 tazas de hojas de cilantro sueltas (1 manojo grande)
3 cebolletas, cortadas en trozos grandes
1/4 de taza de queso crema suave, llevado a temperatura ambiente
1 taza de mayonesa (sin soja, huevos ni gluten)
o mayonesa de almendras (página 159)
1 cucharada de caldo de verduras en polvo sin edulcorar
1 cucharadita de salsa picante (o más, al gusto)
1/2 cucharadita de sal marina

1. En un robot de cocina, combina las hojas de cilantro y las cebolletas. Procésalas hasta que estén bien picadas.

2. Añade al robot de cocina el queso crema, la mayonesa, el caldo de verduras en polvo, la salsa picante y la sal. Procésalos hasta obtener una crema homogénea.

3. Trasfiere la mezcla a un cuenco, tépalo y métalo en el frigorífico durante al menos 30 minutos antes de servirla.

SALSA FRÍA DE AGUACATE

Los aguacates no sólo son alcalinizantes, sino que también fomentan un nivel sano de colesterol y ayudan a regular la tensión arterial. Así que... ¡moja otra patata frita y disfruta!

Ingredientes para 3 tazas y 1/2

2 aguacates maduros, pelados, sin hueso y cortados en dados
2 cucharadas de aceite de oliva virgen extra
1 cucharada de zumo de lima recién exprimido
1/4 de cucharadita de sal marina
2 tomates pequeños, sin semillas y cortados en trozos grandes
1/4 de taza de hojas de cilantro frescas, picadas muy finas
1/4 de taza de cebolla roja, picada muy fina
1 o 2 cucharaditas de salsa picante (opcional)
1/2 cucharadita de guindilla en polvo

1. En una fuente de tamaño mediano, combina los aguacates, el aceite, el zumo de lima y la sal. Mezcla despacio con una cuchara hasta homogeneizarlo.
2. Añade los tomates, las hojas de cilantro, la cebolla, la salsa picante y la guindilla en polvo a la mezcla de aguacate y mézclalo todo bien. Tapa la salsa y métela en el frigorífico durante al menos 30 minutos antes de servirla.
3. Sírvela con trozos de tortilla crujientes (páginas 124-125), con un desayuno con burritos (página 69) o con pollo o marisco a la parrilla.

SALSA TEMPLADA DE ALCACHOFA

Esta salsa es muy sencilla de preparar y está muy rica. Además de alcalinizar tu organismo, las alcachofas te proporcionan numerosos antioxidantes para combatir las enfermedades.

Ingredientes para 3 tazas y 1/2
400 g de corazones de alcachofa en lata, escurridos y picados
1 taza de mayonesa (sin soja, huevo ni gluten) o mayonesa
de almendras (página 159)
1/2 taza de mozzarella o queso blanco rallado
2 cucharadas de zumo fresco de limón
1 diente de ajo triturado
2 cucharadas de queso parmesano
Pimentón

1. Precalienta el horno a 180 °C.
2. En una fuente de tamaño mediano, combina los corazones de alcachofa, la mayonesa, el queso blanco, el zumo de limón y el ajo. Mézclalo todo bien con una cuchara.
3. Trasfiere la mezcla a una fuente para el horno cuadrada, de 20 cm de lado. Espolvorea el parmesano y el pimentón y gratina durante 20 o 25 minutos, o hasta que borbotee y esté algo tostada por encima.
4. Deja que la salsa se enfríe un poco antes de servirla. Sírvela con tostadas de pan de grano germinado o de semillas (página 90), o con crudités de verdura.

SALSA DE JUDÍAS NEGRAS CON TROPEZONES

Esta salsa es ideal para llevar a fiestas junto con una cesta de trozos de tortilla crujientes (páginas 124-125). Al contener un queso suave y algunas verduras, esta receta es mucho más alcalinizante que la variedad tradicional.

Ingredientes para 4 tazas y 1/2

420 g de judías negras en lata, enjuagadas y escurridas
1/2 taza de cebolla roja picada
1/2 pimiento morrón verde grande, picado
1/2 pimiento morrón rojo grande, picado
2 dientes de ajo grandes y trinchados
1 cucharadita de comino molido
1 cucharadita de guindilla en polvo
1/2 cucharadita de sal marina
Un chorrito de salsa picante (opcional)
1/2 taza de mozzarella o queso blanco rallado
1/4 de taza de mayonesa (sin soja, huevo ni gluten)
o mayonesa de almendras (página 159)
1 cucharada de zumo de lima recién exprimido
1/4 a 1/2 taza de hojas de cilantro frescas picadas muy finas

1. En una fuente de tamaño mediano, tritura en parte las judías de modo que queden trozos sólidos. Resérvalas.
2. Cubre el fondo de una sartén de 25 cm con un poco de aceite vegetal o un aceite antiadherente en aerosol y ponla a calentar a fuego medio-bajo. Añade la cebolla y sofríela –removiendo a menudo– durante 4 minutos, o hasta que se ponga traslúcida.
3. Añade los pimientos y el ajo y fríelos durante 3 minutos.
4. Añade a las verduras el comino, la guindilla en polvo, la sal y la salsa picante y cocínalos durante 2 minutos.
5. Añade el queso, la mayonesa y el zumo de lima a las judías y mézclalo todo bien con una cuchara. Añade las verduras ya cocinadas y mézclalas bien.

6. Trasfiere la salsa a un cuenco o salsera, espolvoréala con hojas de cilantro y sírvela con trozos de tortilla crujientes (páginas 124-125).

LOS DIEZ ALIMENTOS MÁS ACIDIFICANTES

Aunque tengan mala fama, los alimentos acidificantes no deberían desaparecer del todo de la dieta. El equilibrio es la clave para la buena salud. El problema es que la dieta norteamericana se ha vuelto tan ácida que habría que reducir el consumo de ciertos alimentos muy acidificantes o, en el peor de los casos, evitarlos por completo. Aquí tienes una lista de los diez productos más denostados por lo que al equilibrio del pH se refiere.

1. Edulcorantes artificiales
2. Aceitunas negras
3. Queso
4. Café
5. Maíz

6. Arándanos agrios
7. Harina
8. Carne
9. Azúcar refinado
10. Semillas de soja

SALSA FRÍA DE QUESO CREMA Y AJETES

Está deliciosa con crujientes verduras crudas, con patatas fritas al horno y con copos de arroz integral, pero también es idónea para untar en sándwiches y tostadas.

Ingredientes para 2 tazas

1 taza de queso crema suave, llevado a temperatura ambiente
1 taza de mayonesa (sin soja, huevo ni gluten)
o mayonesa de almendras (página 159)
1 cucharada de caldo de verduras en polvo sin edulcorar
1 cucharada de zumo de limón
2 cucharaditas de ajo en polvo, o 2 dientes de ajo triturados
Sal marina al gusto

1. En un robot de cocina o una batidora, combina todos los ingredientes, mezclándolos bien.
2. Trasfiere la salsa a un cuenco o fuente, tápala y métela en la nevera durante al menos 30 minutos antes de servirla.

VARIANTE

Para hacer la salsa con sabor a curry, añade 2 cucharaditas de granos de cilantro molidos, 1/2 cucharadita de comino molido y 1/2 cucharadita de cúrcuma molida; te trasportará a la India.

BOLAS DE COCO Y CACAO

Con las bolas de coco y cacao puedes satisfacer tu vena golosa sin tener que preocuparte por el pH, pues combinan los sabores alcalinizantes con edulcorantes poco ácidos.

Ingredientes para 32 bolas

1/2 taza de sirope de arroz
1/2 taza de azúcar de caña integral
1/2 taza de leche de almendras
1/4 de taza de mantequilla de almendra
1/4 de taza de mantequilla clarificada
1/4 de taza de cacao
2 tazas de copos de avena tradicionales
1 taza de coco sin azúcar desmenuzado
1 taza de uvas pasas negras
2 cucharadas de linaza
1/4 de taza de semillas de sésamo
1/4 de taza de pipas de girasol crudas peladas

1. En una cazuela de 2,5 litros, combina el sirope de arroz, el azúcar, la leche, las mantequillas y el cacao a fuego medio-alto. Remueve la mezcla a menudo, hasta que rompa a hervir. Retírala del fuego.

2. Añade los copos de avena, el coco, las uvas pasas, la linaza, las semillas de sésamo y las pipas de girasol y remueve hasta mezclarlo bien todo. Deja reposar la mezcla hasta que esté lo bastante fría para poder manipularla. Haz con ella bolas de unos 2,5 cm de diámetro.

3. Trasfiere las bolas a un recipiente, intercalando hojas de papel encerado entre las sucesivas capas, y métalas en el frigorífico durante al menos 30 minutos antes de servirlas.

BABA GANOUSH

Esta tradicional mezcla para untar de Oriente Medio está hecha con berenjenas y zumo de limón; ambos ingredientes la alcalizan y la hacen absolutamente deliciosa.

Ingredientes para 1 tazas y 1/2

2 berenjenas de tamaño mediano, o 1 taza
y 1/2 de berenjena asada en lata
2 dientes de ajo triturados
1/4 de taza de zumo reciente de limón
1/4 de taza de mayonesa (sin soja, huevo ni gluten)
o mayonesa de almendras (página 159)
3 cucharadas de tahina
1/2 cucharadita de sal marina
1/4 de cucharadita de extracto de humo
Pimienta negra recién molida al gusto
5 cucharadas de aceite de oliva virgen extra,
por separado
1/4 de taza de perejil fresco picado
Pimentón como aderezo

1. Si vas a usar berenjena frescas, precalienta el horno a 230 °C.
2. Pincha las berenjenas con un tenedor y ponlas en una placa de hornear, de 23×33 cm, forrada con papel de aluminio. Hornéalas entre 20 y 30 minutos, o hasta que estén tiernas al pincharlas. Deja que se enfríen durante 10 minutos.
3. Corta cada berenjena por la mitad a lo largo y quítale la pulpa. Métalas en un robot de cocina y procésalas hasta formar una crema suave; o tritúralas a mano mediante un tenedor o pasapurés.
4. Añade el ajo, el zumo de limón, la mayonesa, la tahina, la sal, el extracto de humo y la pimienta; procésalos con el robot o mézclalo todo bien con una cuchara.
5. Añade poco a poco 3 cucharadas de aceite al combinado de berenjena y mezcla hasta que esté cremoso.

6. Trasfiere el baba ganoush a una salsera o cuenco pequeño, tápalo y mételo en la nevera durante 2 horas como mínimo. Espolvoréalo con perejil y pimentón, y rocía las 2 cucharadas restantes de aceite por encima antes de servirlo.

CONSEJO ÚTIL

A veces uso berenjenas asadas en lata en lugar de berenjenas frescas. Aunque en la etiqueta del bote ponga «baba ganoush», comprueba los ingredientes. Mientras sólo contenga berenjena y ácido cítrico, puedes usarlo.

BOCADOS DE TORTILLA CRUJIENTES

¿Qué haces cuando necesitas algo para rebañar todas estas deliciosas salsas frías para untar pero no quieres desequilibrar tu pH consumiendo patatas fritas compradas? Muy fácil: preparas estos sabrosos bocados de tortilla crujientes.

Ingredientes para 6 raciones

2 tazas harina refinada de espelta
1 cucharadita de levadura en polvo
1/2 cucharadita de sal marina
1/4 de taza de aceite de oliva suave
1/2 a 3/4 de taza de agua caliente
Guindilla en polvo

1. En un cuenco grande o un robot de cocina, combina la harina, la levadura en polvo y la sal.

2. Añade el aceite. Mézclalo con los dedos –o procésalo con el robot de cocina– hasta ligarlo bien.

3. Añade el agua a la masa hasta que se forme una bola pringosa. Cúbrela con film trasparente para envolver alimentos y déjala descansar durante al menos 30 minutos.

4. Divide la masa en 6 u 8 bolas más pequeñas. Cúbrelas a su vez también con film trasparente.

5. Espolvorea la encimera o la tabla de amasar con harina de espelta. Aplasta las bolas de masa con la mano de una en una, adelgazándolas hasta convertirlas en tortillas de unos 15-18 cm de diámetro y 0,3 cm de grosor.

6. Precalienta el horno a 180 °C.

7. Calienta una sartén de 25 cm (preferiblemente de hierro fundido) a fuego medio durante 4 minutos; o hasta que, al echar en el fondo una gota de agua, ésta salte. Cuece las tortillas durante 30 segundos cada una, o hasta que se formen burbujas en ellas. Dale la vuelta a cada tortilla, apriétala con la espu-

madera una o dos veces y cuécela durante otros 30 segundos; o hasta que se doren. No te pases de tiempo de cocción o te quedarán duras.

8. Espolvorea las tortillas ya cocidas con un poquito de guindilla en polvo, córtalas en porciones y ponlas en placas de hornear de 23×33 cm, formando una sola capa. Hornea durante 8 o 10 minutos, o hasta que se tuesten un poco. Trasfiere los crujientes bocaditos a una fuente pequeña y acompáñalos con una salsa fría de tu agrado para mojar.

«La felicidad no es una cuestión de intensidad, sino de equilibrio y orden, de ritmo y armonía».

–Thomas Merton, escritor

BARRITAS CRUJIENTES DE MUESLI DE AVENA

Las barritas de muesli de avena son un aperitivo clásico para tomar a media tarde. En lugar de las que se compran preparadas, que suelen contener muchos azúcares refinados, añade a tu tartera una de estas joyas para el pH equilibrado y tendrás algo que tomarás con gusto y no acidificará tu organismo.

Ingredientes para 12 barritas

2 tazas y 1/2 de copos de avena tradicionales
1 taza de coco triturado sin azúcar
1/2 taza de almendras fileteadas
1/2 taza de pipas de girasol crudas peladas
1/4 de taza de linaza
1/4 de taza de pipas de calabaza crudas peladas
1/4 de taza de semillas de sésamo
1/2 taza de sirope de arroz
1/3 de taza de melaza
1/3 de taza de azúcar de caña integral
1/4 de taza de mantequilla clarificada
1/2 cucharadita de sal marina
1 taza de fruta seca sin azufrar (manzanas,
albaricoques, bayas de goji, uvas pasas negras
u otras frutas alcalinizantes) picada

1. Precalienta el horno a 200 °C.
2. Distribuye por igual los copos de avena, el coco, las almendras, las pipas de girasol, la linaza, las pipas de calabaza y las semillas de sésamo sobre una fuente para el horno de 33×23 cm. Cuécelos –removiendo de vez en cuando– durante 20 minutos, o hasta que se tuesten un poco.
3. En una cazuela de 1,5 litros, combina el sirope de arroz, la melaza, el azúcar, la mantequilla y la sal a fuego medio-bajo. Cocínalos durante 10 minutos, removiendo de vez en cuando.
4. Trasfiere la mezcla de avena a una fuente grande y añade la fruta seca. Mezcla todo bien con una cuchara.

5. Añade el líquido a los ingredientes secos, removiendo hasta que éstos queden cubiertos por completo.

6. Forra una fuente para el horno de cristal, de 28×33 cm, con papel parafinado o encerado. Pulveriza el papel con un poco de aceite antiadherente en aerosol y distribuye por igual el muesli de avena en la fuente.

7. Pon otra hoja de papel parafinado o encerado encima del muesli y presiónalo, compactándolo. Luego deja que se enfríe por completo.

8. Retira la hoja de papel de arriba y dale la vuelta con cuidado a la fuente para el horno sobre una plancha grande para cortar, dejando que el bloque macizo de muesli de avena caiga sobre ella. Quita el resto del papel. Con un cuchillo grande, corta el muesli en barras de 5×13 cm. Envuélvelas individualmente en papel encerado, o guárdalas en un recipiente hermético, entre hojas de papel encerado.

TENTEMPIÉS (BOCADITOS)

Estos pequeños bocados son realmente exquisitos. El coco y la fruta seca les dan un toque muy agradable, además de alcalinizarlos.

Ingredientes para 9 bocaditos

2 tazas y 1/2 de mijo o arroz integral inflados
1 taza de coco desmenuzado sin azúcar
1 taza de fruta seca sin azufrar (cerezas, bayas de goji,
uvas pasas negras u otras frutas alcalinizantes) picada
1/2 taza de mantequilla de almendra
1/2 taza de sirope de arroz
1 cucharada de mantequilla clarificada
1 cucharada de azúcar de caña integral

1. Cubre una fuente de vidrio para el horno de 23×23 cm con mantequilla clarificada y resérvala.
2. En una fuente redonda de tamaño mediano, combina el cereal, el coco y la fruta seca. Mézclalo bien con una cuchara y resérvalo.
3. En una cazuela de 4,5 litros, combina la mantequilla de almendra, el sirope de arroz, la mantequilla clarificada y el azúcar a fuego medio-bajo; cuece durante 2 o 3 minutos, removiendo frecuentemente, o hasta que la mezcla lleve hirviendo al menos 1 minuto. Retira del fuego.
4. Echa los ingredientes secos sobre la mezcla de mantequilla de almendra y remueve de inmediato con una cuchara hasta mezclarlo todo bien.
5. Trasfiere la mezcla a la fuente para el horno ya preparada y ejerce presión sobre ella hasta que se forme una capa de grosor uniforme.
6. Usando un cuchillo afilado, divide la placa en 9 bocados cuadrados. Mételos en la nevera para que se enfríen bien y luego sírvelos.

Variante

Para hacer bocaditos de manzana y canela, añadir a los ingredientes secos 1 taza de manzana deshidratada, muy picada, y una cucharadita de canela.

«Sé moderado con el fin de degustar los placeres de la vida en abundancia».

—Epicuro, filósofo

BARRITAS DE LIMÓN

Estas barritas son uno de mis postres favoritos. El zumo de limón no sólo las alcaliniza, sino que también les da ese sabor ácido tan rico.

Ingredientes para 24 barritas

2 tazas de arroz o mijo inflados
1 taza de copos de avena tradicionales
1/2 taza de harina refinada de espelta
1/2 taza de harina de avena
1/3 de taza de almendras molidas
1/3 de taza de mantequilla clarificada fundida
1/3 de taza de sirope de arroz
1/3 de taza de zumo reciente de limón
1/4 de taza de azúcar de caña integral
Cáscara de 1 limón

1. Precalienta el horno a 150 °C. Cubre ligeramente una fuente para el horno de 23×23 cm con un aceite antiadherente en aerosol y resérvala.

2. En una fuente redonda grande, bate en seco el cereal, los copos de avena, las harinas y las almendras. Resérvala.

3. En una fuente de tamaño mediano, combina la mantequilla, el sirope de arroz, el zumo de limón, el azúcar y la cáscara de limón. Mézclalo todo bien con una cuchara.

4. Añade el líquido a los ingredientes secos; mézclalo todo bien. Distribuye la mezcla sobre la placa de hornear ya preparada y haz un poco de presión sobre ella.

5. Hornea durante 15 o 20 minutos, o hasta que los bordes se tuesten. Córtala en 24 barritas; deja que éstas se enfríen durante 20 minutos –o hasta que estén totalmente firmes– antes de servirlas. Usa un cortador de pizza para que te resulte más fácil.

MACARONS DE COCO

Bueno, ¿quién puede resistirse a un macaron? No yo, ciertamente. Los sabores de la almendra y el coco hacen de esta receta un clásico intemporal.

Ingredientes para 20 macarons*

1 taza y 1/2 de coco sin azúcar desmenuzado
1/3 de taza de azúcar de caña integral
2 cucharadas y 1/2 de harina refinada de espelta
2 cucharadas de almendras molidas
1/8 de cucharadita de sal marina
2 cucharadas de leche de almendras sin endulzar
2 cucharadas de sirope de arroz
2 claras de huevo a temperatura ambiente y ligeramente batidas

---

1. Precalienta el horno a 160 °C. Forra una placa de hornear de 23×33 cm con papel parafinado y rocía ligeramente el papel con un aceite antiadherente en aerosol.

2. Utiliza una fuente de tamaño mediano para batir en seco el coco, el azúcar, la harina, las almendras y la sal. Resérvala.

3. En un cuenco, combina la leche de almendras y el sirope de arroz. Remueve hasta mezclarlos bien.

4. Añade el líquido a los ingredientes secos, mezclando bien con una cuchara.

5. Añade las claras de huevo y mézclalas lo justo. Deja que repose durante unos 5 minutos.

6. Deja caer 20 cucharaditas sobre la placa de hornear ya preparada, de forma que queden goterones redondos –que serán los macarons–, con un espacio de 1,25 cm entre ellos.

7. Hornea durante 10 o 15 minutos, o hasta que los bordes se tuesten. Deja que los dulces se enfríen del todo en la placa de hornear antes de servirlos. Si quieres conservarlos durante más tiempo, trasfiérelos a un recipiente hermético.

---

* Dulce denso hecho con diversos ingredientes, como almendras y claras de huevo, coco, etc. (*N. de la T.*)

7

SOPAS

U na manera fabulosa de conseguir la ración diaria de verduras recomendada es tomar sopa para almorzar o como primer plato en la comida. La mayoría de estas recetas se cuece en el horno: pero, si lo prefieres, también las puedes preparar en una olla eléctrica de cocción lenta. Simplemente sigue las instrucciones del fabricante de la olla.

Una vez que te familiarices con estas sopas, podrás adaptarlas a tus propios gustos, añadiendo y eliminando los ingredientes que consideres necesarios. Estas recetas también te enseñarán qué ingredientes puedes usar para hacer más alcalinizantes tus sopas caseras favoritas.

SOPA DE VERDURAS

Esta sopa es muy fácil de preparar y muy muy sabrosa. Yo uso una mezcla congelada que contiene brécol, judías verdes, cebollas y champiñones, pero puedes usar las verduras que prefieras.

Ingredientes para 8 raciones

1 cucharada de mantequilla clarificada
1 cebolla grande, cortada en trozos grandes
Una bolsa de 1 kg de verduras mixtas congeladas
3 tazas de caldo de verduras de cultivo biológico sin levadura
1/2 cucharadita de sal marina, o 1 cucharadita de miso disuelta
en 1/4 de taza de agua caliente
2 tazas leche de almendras sin endulzar
1/3 de taza de queso crema
2 cucharadas de queso parmesano rallado

1. En una cazuela de 4,5 litros, calienta la mantequilla a fuego medio. Añade la cebolla y saltéala durante 5 minutos (o hasta que se ponga traslúcida).
2. Añade las verduras congeladas, el caldo y la sal y cuécelas sin tapar –removiendo de vez en cuando– durante 15 minutos, o hasta que estén tiernas. Reduce el fuego al punto mínimo.
3. Añade la leche, el queso crema y el parmesano y remueve hasta ligarlos.
4. Trasfiere la sopa al vaso de la batidora –o usa una batidora de mano directamente en la cazuela– y procésala hasta hacerla homogénea. Vuelve a calentarla en la cazuela y sírvela.

SOPA DE LENTEJAS Y COL RIZADA

Esta sopa no sólo es reconfortante, deliciosa y alcalinizante, sino que también se deja congelar muy bien. Luego sólo tienes que recalentarla por raciones en tu cocina.

Ingredientes para 12 raciones

1 cucharada de aceite de oliva suave
3 dientes de ajo grandes triturados
8 tazas de col rizada cortada en trozos grandes
3 tazas de agua
1 cubito de caldo concentrado de cebolla sin levadura
1/2 cucharadita de sal marina, o 1 cucharadita de miso disuelta
en 1/4 de taza de agua caliente
1 lata de 500 g de lentejas, enjuagadas y escurridas
2 tazas leche de almendras sin endulzar
2/3 de taza de queso crema
1/4 de taza de queso parmesano rallado (opcional)

1. En una cazuela de 4,5 litros, calienta el aceite a fuego bajo. Añade el ajo y sofríelo durante 3 minutos, o hasta que se ponga fragante.
2. Añade la col rizada y rehógala durante 3 minutos, removiéndola hasta que se cubra bien con el aceite y el ajo.
3. Añade el agua, el caldo concentrado y la sal y cuece durante 5 minutos, o hasta que la col rizada esté tierna.
4. Añade las lentejas, la leche y el queso crema, removiendo bien hasta formar la sopa. Échale parmesano si lo deseas.
5. Trasfiere la sopa al vaso de la batidora –o usa una batidora de mano directamente en la cazuela– y procésala hasta que tenga una consistencia homogénea. Recaliéntala en la cazuela y sírvela.

Sopa de ajo al horno

Esta receta se ha convertido en un verdadero éxito en las cenas en casa con invitados. Está muy rica y cunde mucho.

Ingredientes para 6 raciones
4 cabezas de ajo grandes, enteras
2 cucharadas de mantequilla clarificada
3 tazas de agua
1 cubito de caldo concentrado de cebolla, sin levadura
Sal marina al gusto
2 tazas de leche de almendras sin endulzar
1/4 de taza de queso crema
2 rebanadas de pan con semillas o de grano
germinado tostadas, untadas de mantequilla
y cortadas en daditos a modo de picatostes

1. Precalienta el horno a 190 °C.
2. Corta las cabezas por la mitad a lo ancho, dejando a la vista los dientes. En un puchero de 5,5 litros con tapa, combina la mantequilla y el ajo. Remueve hasta que el ajo esté bien cubierto.
3. Pon la olla al horno destapada y asa el ajo –removiendo de vez en cuando– durante 25 o 30 minutos, o hasta que los dientes estén blandos y ligeramente tostados. Saca el ajo del horno y deja que se enfríe.
4. Sobre una superficie plana, presiona los dientes de ajo con la cara de la hoja de un cuchillo para quitarles la piel. Vuelve a meter el ajo en la olla.
5. Añade a la olla el agua, el caldo concentrado y la sal. Ponla sobre el fuego y haz que rompa a hervir a fuego vivo. En ese momento, reduce el fuego al punto medio-bajo y deja que cueza durante 10 minutos a fuego lento.
6. Añade la leche y el queso crema a la sopa y remueve bien ésta. Trasvasa la sopa al vaso de la batidora –o usa una batido-

ra de mano directamente en la olla– y procésala hasta dejarla homogénea. Recaliéntala en la olla y sírvela bien caliente acompañada de picatostes.

CONSEJO ÚTIL

Puedes evitarte tener que pelar el ajo usando un pasapurés. Después de asarlo al horno sin pelarlo, deja que el ajo se enfríe y ponlo en un pasapurés. Procésalo hasta poder devolverlo a la olla sin piel y triturado. Entonces reanuda la receta, siguiendo las instrucciones arriba indicadas para terminar de hacerla.

SOPA DE APIO

Es una sopa clásica muy sustanciosa. Aunque tradicionalmente se servía como entrada, la patata añadida la convierte muy satisfactoriamente en un plato fuerte.

Ingredientes para 8 raciones

4 tazas de caldo de verduras de cultivo biológico, sin levadura
1 apio, sin raíces ni hebras y cortado en trozos grandes
3 cebollas de tamaño mediano, peladas y cortadas en dados
2 patatas pequeñas, peladas y cortadas en dados
1 cucharada de mantequilla clarificada
1 cucharada de harina refinada de espelta
De 1/2 a 1 taza de leche de almendras sin endulzar
1/2 cucharadita de sal marina
Pimienta negra recién molida, al gusto
Hojas de apio picadas, como guarnición

1. En una cazuela de 4,5 litros, calienta el caldo a fuego vivo. Cuando rompa a hervir, añade el apio, las cebollas y las patatas. Reduce el fuego al punto medio-bajo, tapa la cazuela dejando una rendija y deja que cueza a fuego lento –removiendo de vez en cuando– durante 15 minutos, o hasta que las patatas estén tiernas al pincharlas con un tenedor.

2. Escurre y trasfiere las verduras cocidas a una fuente de tamaño mediano, y reserva el caldo.

3. Procesa las verduras usando una batidora de mano directamente en la fuente (o traspásalas a una batidora de sobremesa) hasta obtener un puré homogéneo, añadiendo todo el caldo que necesites.

4. En la misma cazuela, calienta la mantequilla a fuego medio-bajo y luego añade la harina batiendo. Añade la leche y remueve hasta que se espese.

5. Devuelve a la cazuela el caldo que tenías reservado y remueve hasta ligarlo todo bien. Añade las verduras, sazona con sal y pimienta y remueve hasta que se caliente bien. Adorna la crema con un puñado de hojas de apio picadas y sírvela.

SOPA DE MISO

Es rica en minerales alcalinizantes pero baja en calorías. Es un excelente sucedáneo del caldo de gallina, ¡e igual de reconfortante cuando te encuentras pachucho!

Ingredientes para 4 raciones

4 tazas de agua
1 cucharada de wakame seco triturado (opcional)
1/2 taza de tallarines cocidos de pasta o de arroz integral (opcional)
1/4 de taza de cebolletas picadas muy finas
2 cucharadas de miso de color claro
1 cucharada de salsa tamari
1 diente de ajo, triturado
1/2 cucharadita de aceite de sésamo

1. En una cazuela de 2,5 litros, pon el agua a calentar a fuego vivo. Cuando rompa a hervir, reduce el fuego a la mitad, añade el wakame y déjalo cocer a fuego lento durante al menos 5 minutos.

2. Reduce el fuego al punto bajo y echa a la cazuela el resto de los ingredientes. Remueve bien la sopa hasta que el miso se disuelva y sírvela. Asegúrate de que no vuelva a hervir, pues podrían echarse a perder algunas de las buenas propiedades del miso, cambiando además el sabor.

CREMA DE CALABAZA, PERA Y JENGIBRE

Esta crema sabrosa y especiada es excelente para almorzar o como entrante de la comida.

Ingredientes para 10 raciones

400 g de peras enlatadas en su jugo, sin azúcar
1 cucharada de mantequilla clarificada
1 cebolla grande, cortada en trozos grandes
2 cucharadas de jengibre fresco, pelado y rallado
2 dientes de ajo triturados
3 tazas de agua
1 taza y 1/2 de puré de calabaza en lata sin edulcorantes
1/2 cucharadita de sal marina
2 tazas de leche de almendras sin endulzar
Pipas de calabaza tostadas (opcional)

1. Escurre las peras y córtalas en trozos grandes; resérvalas. Reserva también el jugo en un cuenco.

2. En una cazuela de 4,5 litros, calienta la mantequilla a fugo medio. Añade la cebolla y saltéala durante 5 minutos, o hasta que se ponga traslúcida.

3. Añade las peras, el jengibre y el ajo y saltéalos a fuego vivo durante 2 minutos.

4. Añade el jugo de pera que habías reservado, el agua, la calabaza y la sal. Reduce el fuego al punto medio-bajo y deja que se cueza a fuego lento sin tapar durante 10 minutos, removiendo de vez en cuando.

5. Usa una batidora de mano directamente en la cazuela o trasvasa la sopa al vaso de la batidora y procésala hasta darle una consistencia homogénea.

6. En la cazuela, añade la leche y remueve hasta mezclarla bien con la crema. Recalienta ésta y sírvela con guarnición de pipas de calabaza tostadas.

BORSCHT

Esta sopa, que está de rechupete, es un modo excelente de aprovechar esas deliciosas y alcalinizantes remolachas que guardas en el frigorífico.

Ingredientes para 6 raciones

6 tazas caldo de verduras de cultivo biológico, sin levadura
2 cebollas de tamaño mediano, divididas en cuatro partes
1/2 cucharadita de sal marina
2 patatas grandes, peladas y cortadas en dados de 1,25 cm
4 remolachas grandes, peladas y cortadas en trozos grandes
4 zanahorias de tamaño mediano picadas
2 tazas de berza de Saboya cortada en rodajas finas
3/4 de taza de eneldo fresco picado muy fino
3 cucharadas de vinagre de sidra
1/2 taza de yogur corriente sin grasa

1. En una cazuela de 4,5 litros, combina el caldo, las cebollas y la sal. Ponlo a cocer a fuego vivo.

2. Cuando rompa a hervir, añade las patatas, las remolachas y las zanahorias. Cuando empiece a hervir otra vez, reduce el fuego al punto medio-bajo y tapa la cazuela. Déjalo cocerse a fuego lento, removiendo de vez en cuando, durante 30 minutos (o hasta que las patatas estén tiernas al pincharlas con un tenedor).

3. Añade el repollo y 1/2 taza de eneldo y rehoga –removiendo de vez en cuando– durante 15 minutos, o hasta que el repollo esté tierno. Añade el vinagre y remueve hasta mezclarlo bien.

4. Cubre cada ración con una cucharada de yogur y espolvorea con el restante 1/4 de taza de eneldo antes de servirla.

CREMA DE VERDURAS AL HORNO

Las verduras asadas le dan a este plato un sabor tan increíblemente bueno que sin duda acabará siendo una de las recetas favoritas de tu familia.

Ingredientes para 12 raciones

5 tazas de cogollos de coliflor (aproximadamente 1/2 kg)
3 patatas de tamaño mediano, sin pelar
y cortadas en dados de 1,25 cm
2 cebollas de tamaño mediano, cortadas en trozos grandes
1 pimiento morrón grande de color amarillo o naranja,
cortado en trozos grandes
1 calabacín grande, cortado en trozos grandes
1 cucharada de aceite vegetal
1 cucharadita de sal marina
4 tazas agua
1 cubito de caldo concentrado de cebolla, sin levadura
1 taza y 1/2 de leche de almendras sin endulzar

---

1. Precalienta el horno a 200 °C.
2. En una fuente grande, combina la coliflor, las patatas, las cebollas, el pimiento morrón, el calabacín y el aceite. Remuévelo todo bien. Trasfiere las verduras a una fuente de 23×33 cm para el horno; espolvoréalas con 1/2 cucharadita de sal y ponlas en el horno.
3. Asa las verduras, removiéndolas de vez en cuando, durante 40 o 50 minutos (o hasta que las patatas estén tiernas al pincharlas con un tenedor y la coliflor esté dorada por los bordes.
4. En una olla de 7,5 litros, pon las verduras asadas, el agua, la 1/2 cucharadita restante de sal y el caldo concentrado a fuego vivo. Cuando rompa a hervir, reduce el fuego al punto medio-bajo y deja cocer a fuego lento durante 10 minutos, removiendo de vez en cuando.
5. Trasfiere la mitad de la sopa al vaso de la batidora o a otro recipiente y bátela con la batidora de sobremesa o la batidora manual hasta que adquiera una consistencia homogénea.

6. Devuelve la crema batida a la olla, añade la leche y remuévelo todo bien hasta ligarlo. Calienta bien la crema y sírvela.

CONSEJO ÚTIL

¿Odias lavar los platos? Mezcla las verduras y el aceite directamente en la olla, antes de pasarlas a una fuente para el horno. Así ensuciarás menos vajilla.

CREMA DE ZANAHORIA Y CILANTRO

*Como en esta receta se necesitan tantas zanahorias, te reco-
miendo encarecidamente que compres las de cultivo biológico -
que son alcalinizantes- en lugar de las convencionales, que son
ligeramente acidificantes debido a su alto contenido en pesticidas residuales.*

Ingredientes para 8 raciones

1 cucharada y 1/2 de mantequilla clarificada, por separado
2 cebollas de tamaño mediano, cortadas en trozos grandes
2 dientes de ajo grandes, cortados en trozos
8 zanahorias de tamaño mediano, picadas
1 cucharada de granos de cilantro molidos
1 cucharadita de pimentón
4 tazas de caldo de verduras de cultivo biológico, sin levadura
1 cucharada de harina refinada de espelta
1 taza de leche de almendras sin endulzar
1/2 taza de nata líquida
Sal marina al gusto
Pimienta recién molida al gusto
Hojas de cilantro o perejil fresco picados como aderezo

1. En una cazuela de 4,5 litros, calienta 1/2 cucharada de mantequilla a fuego medio-alto. Añade las cebollas y el ajo. Saltéalos
   durante 5 minutos, o hasta que la cebolla se ponga traslúcida.

2. Añade las zanahorias, los granos de cilantro y el pimentón.
   Remuévelo todo bien. Tapa la cazuela, reduce el fuego al mínimo y deja cocer durante 5 minutos, removiendo de vez en
   cuando.

3. Añade el caldo, tapa la cazuela dejando una rendija y deja que
   cueza a fuego lento, removiendo de vez en cuando, durante 15
   minutos (o hasta que las zanahorias estén tiernas).

4. Vierte las verduras al vaso de la batidora de sobremesa –o usa
   una batidora de mano directamente en la cazuela– y procésalas hasta hacer un puré homogéneo. Devuélvelas a la cazuela.

5. En una cazuela de 1,5 litros, calienta la cucharada restante de mantequilla a fuego medio-bajo. Añade la harina y remueve hasta mezclarlos bien. Añade la leche y remueve hasta que se espese. Añade la mezcla a la sopa.

6. Añade la nata, la sal y la pimienta y remueve bien. Espolvorea la sopa por encima con perejil u hojas de cilantro y sírvela.

«Todo paciente lleva en su interior a su propio médico».
—Albert Schweitzer, teólogo

CREMA DE PATATAS Y PUERROS

Este puré no sólo es un clásico, sino que prácticamente no contiene acidificantes. Tal vez por eso haya resistido la prueba del tiempo.

Ingredientes para 6 raciones

2 cucharadas de mantequilla clarificada
2 puerros grandes (la parte blanca y la verde claro),
cortados en rodajas finas
1 cebolla grande, cortada en rodajas finas
3 tazas de caldo de verduras de cultivo biológico, sin levadura
4 patatas blancas de tamaño mediano, peladas
y cortadas en dados de 2,5 cm
1 taza de agua
1/4 de cucharadita de pimienta negra recién molida
Sal marina al gusto
1 taza y 1/2 de leche de almendras sin endulzar
1/2 taza de nata líquida
Perejil fresco picado como aderezo

1. Calienta la mantequilla a fuego medio-bajo en una cazuela de 4,5 litros. Añade los puerros y la cebolla. Tapa la cazuela y cocínalos –removiendo de vez en cuando– durante 5 minutos, o hasta que la cebolla se ponga trasparente.
2. Añade el caldo, las patatas, el agua, la pimienta y la sal. Tapa la cazuela y espera a que hierva. Cuando rompa a hervir, reduce el fuego al punto medio-bajo y deja que cueza a fuego lento, removiendo de vez en cuando, durante 20 minutos; o hasta que las patatas estén tiernas al pincharlas con un tenedor.
3. Trasfiere la mitad de la sopa al vaso de la batidora de sobremesa y procésala hasta hacer un puré homogéneo; luego devuélvela a la cazuela (también puedes mezclar ligeramente la sopa en la cazuela con la batidora de mano, asegurándote de dejar intactas algunas de las verduras.
4. Añade la leche y la nata y remueve hasta mezclarlas bien. Adorna la sopa espolvoreando un poco de perejil y sírvela.

SOPA DE ALMEJAS

Ésta es una versión mucho más alcalina de la sopa tradicional que se toma aquí, en la costa oriental de Nueva Escocia. Como las almejas son un marisco particularmente poco ácido, la hago con frecuencia.

Ingredientes para 6 raciones

2 cucharadas de mantequilla clarificada
2 tallos de apio, picados muy finos
1 puerro, picado muy fino (opcional)
1 cebolla grande, picada muy fina
4 patatas blancas de tamaño mediano, peladas
y cortadas en dados de 2,5 cm
2 latas de 140 gr de almejas pequeñas,
escurridas (reservar el líquido)
1/4 de cucharadita de extracto de humo
1 taza y 1/2 de leche de almendras sin endulzar
1/2 taza de nata líquida
Sal marina al gusto
Pimienta recién molida al gusto
1 cucharada de perejil fresco picado

1. Calienta la mantequilla a fuego medio-bajo en una olla de 7,5 litros. Añade el apio, el puerro y la cebolla. Fríelos, removiendo de vez en cuando, durante 5 minutos (o hasta que estén tiernos).

2. Añade las patatas, el líquido de las almejas que habías reservado y el extracto de humo. Añade agua hasta cubrir las verduras, tapa la olla y cuece durante 20 minutos (removiendo de vez en cuando), o hasta que las patatas estén tiernas al pincharlas con un tenedor.

3. Trasfiere 1 taza de patatas cocidas a una fuente de tamaño mediano, tritúralas y devuélvelas a la olla.

4. Añade las almejas, la leche, la nata, la sal y la pimienta y remueve bien. Sube el fuego al punto medio-alto y cuece la sopa durante unos minutos, removiendo de vez en cuando hasta que se caliente bien, pero con cuidado de que no hierva. Espolvorea la sopa con un poco de perejil y sírvela.

CREMA DE CALABAZA CON ESPECIAS

Esta sustanciosa y satisfactoria crema es una buena opción alcalinizante para la comida. Sabe incluso mejor de un día para otro; así que, cuando la prepares, guarda un poco para el día siguiente.

Ingredientes para 8 raciones

1 cucharada de mantequilla clarificada
1 cebolla grande, cortada en trozos grandes
2 o 3 dientes de ajo triturados
2 cucharaditas de granos de cilantro molidos
1/2 cucharadita de comino molido
1/2 cucharadita de cúrcuma molida
6 u 8 tazas de calabaza de invierno pelada y cortada en dados
(aproximadamente 1 kg y 1/3)
3 tazas de agua o caldo de verduras
1/2 cucharadita de sal marina, o 1 cucharadita de miso
disuelto en 1/4 de taza de agua caliente
1 taza de leche de almendras sin endulzar
1/2 taza de nata líquida
1/4 de taza de hojas de cilantro frescas picadas como adorno

1. Calienta la mantequilla a fuego medio en una cazuela de 4,5 litros. Añade la cebolla y saltéala durante 5 minutos, o hasta que se ponga traslúcida.

2. Añade el ajo, los granos de cilantro, el comino y la cúrcuma y saltéalos durante 1 minuto.

3. Añade la calabaza, el agua y la sal, tapa la cazuela dejando una rendija y deja cocer durante 10 minutos (removiendo de vez en cuando), o hasta que la calabaza esté tierna al pincharla con un tenedor. Reduce el fuego al mínimo.

4. Traspasa la calabaza al vaso de la batidora, bátela hasta hacerla homogénea y devuélvela a la cazuela (también puedes usar una batidora de mano directamente en la cazuela y ahorrarte el trasvase).

5. Añade la leche y la nata líquida y remueve hasta mezclarlas bien. Recalienta la sopa, adórnala con unas hojas de cilantro picadas y sírvela.

Consejo útil

Sumerge la calabaza en agua hirviendo durante 5 minutos para que resulte más fácil pelarla. O cuécela en el horno y añádela a la sopa antes de procesarla con la batidora.

CREMA DE CHIRIVÍA CON HARISSA

Cuando mi amiga Sandra sirvió esta sopa en una fiesta, de inmediato le supliqué que me diera la receta. Me encanta no sólo por su estupendo sabor, ¡sino porque las chirivías son muy alcalinizantes!

Ingredientes para 6 raciones

2 cucharadas de mantequilla clarificada
3 cebollas de tamaño mediano, cortadas en trozos grandes
2 dientes de ajo, cortados en trozos grandes
9 tazas de chirivías peladas y cortadas
en trozos grandes (cerca de 1 kg y 1/3)
1 patata grande, pelada y cortada en dados
4 tazas de agua o caldo de verduras
de cultivo biológico, sin levadura
1 taza y 1/2 de leche de almendras sin endulzar
1/2 taza de nata líquida
Sal marina al gusto

Ingredientes para la harissa

1 cucharada de carvis molidos
1 cucharada de granos de cilantro molidos
2 cucharaditas de comino molido
1/2 taza de aceite de oliva virgen extra
4 dientes de ajo
1 cucharada de menta seca
1 cucharadita de sal marina
1/8 de cucharadita de guindilla desmenuzada (opcional)

1. Funde la mantequilla a fuego medio-alto en una cazuela de 4,5 litros. Añade las cebollas y el ajo y saltéalos durante 5 o 7 minutos, o hasta que la cebolla se ponga traslúcida.
2. Añade las chirivías y la patata y saltéalas de 3 a 5 minutos, removiendo con frecuencia.
3. Cubre las chirivías y la patata con el caldo, reduce el fuego al mínimo y deja que se cuezan –removiendo de vez en cuando–

durante 20 minutos, o hasta que estén tiernas al pincharlas con un tenedor. Luego deja que se enfríe un poco.

4. Trasfiere la sopa a la batidora de sobremesa y procésala hasta que esté homogénea, devolviéndola después a la cazuela (también puedes usar una batidora de mano directamente en esta última).

5. Añade la leche, la nata y la sal, removiendo hasta que se mezclen bien. Tapa la cazuela y déjala a fuego lento mientras preparas la harissa.

6. Para preparar la harissa, combina los carvis, los granos de cilantro y el comino en una sartén de 20 cm a fuego medio. Remueve de vez en cuando y deja que se tuesten unos minutos (o hasta que desprendan aroma).

7. En un robot de cocina, combina el aceite, el ajo, la menta, la sal y la guindilla desmenuzada. Procesa la mezcla hasta que esté homogénea. Añade las especias tostadas y vuelve a procesar hasta mezclarlas bien. Trasfiere la harissa a una salsera.

8. Sirve la sopa de chirivía junto con la harissa (ésta se puede echar encima de la sopa, según los gustos de cada cual).

9. Trasfiere el resto de la harissa a un recipiente hermético, échale por encima un poco de aceite de oliva para mantenerla en buen estado y métela en el refrigerador (de ese modo se conserva durante un mes, más o menos). Usa la harissa en toda clase de sopas vegetarianas; también está muy buena con las zanahorias al vapor y otras verduras cocidas.

SOPA DE LENTEJAS INDIA

Esta receta es la adaptación de una crema que descubrí en uno de mis restaurantes indios favoritos. Me llevó bastante tiempo perfeccionarla, pero ahora es una forma deliciosa y fantástica de entrar en calor rápidamente en los días fríos.

Ingredientes para 6 raciones
1 cucharada de mantequilla clarificada
1 cucharadita de comino
1 cebolla grande, picada muy fina
3 dientes de ajo triturados
1/2 cucharadita de cúrcuma molida
1/8 de cucharadita de cayena molida
1 cucharada de jengibre fresco pelado y picado
2 cucharaditas de granos de cilantro molidos
3 tazas de agua
1 taza de lentejas amarillas
1 taza de leche de almendras sin endulzar
1/2 cucharadita de sal marina
Hojas de cilantro frescas picadas como aderezo

1. Calienta la mantequilla a fuego medio en una cazuela de 4,5 litros. Añade las semillas de comino sin dejar de remover. Cuando empiecen a estallar y crepitar, añade la cebolla y deja que se tuesten. No las cocines demasiado.

2. Añade el ajo, la cúrcuma y la cayena. Cocínalos durante 2 minutos, removiendo de vez en cuando.

3. Añade el jengibre y los granos de cilantro. Cocínalos durante 1 minuto, removiendo de vez en cuando.

4. Añade el agua y las lentejas. Tapa la cazuela parcialmente; reduce el fuego al mínimo y deja cocer –removiendo de vez en cuando– durante 30 minutos (o hasta que las lentejas estén muy blanditas).

5. Usa una batidora de mano durante 1 minuto o remueve enérgicamente la sopa para que las lentejas se fundan un poco con ella.

6. Añade la leche y la sal, remueve hasta que se mezclen y calienta bien la sopa. Adórnala con hojas de cilantro por encima
y sírvela.

AGUA IONIZADA

Aunque comer alimentos alcalinizantes es la mejor manera de combatir la acidosis, a veces se necesita un poco de ayuda adicional. El agua del grifo, ese ingrediente tan común en la cocina (sobre todo en las sopas), suele ser un poco ácida, así que alcalinizarla puede ser beneficioso para el equilibrio del pH. Probablemente la mejor forma de alcalinizar el agua sean los ionizadores.

Un ionizador de agua es un utensilio de filtración que se suele poner en la encimera de la cocina. El agua del grifo circula por el aparato y es sometida a una corriente eléctrica, la cual induce una reacción química alcalinizante. Aunque con estos utensilios generalmente se puede alcalinizar mucho el agua, limítate a devolverle su pH natural neutro (cerca de 7); es todo lo que necesitas. Una ventaja de muchos ionizadores es que incluyen un filtro de carbono, capaz de eliminar una buena cantidad de impurezas corrientes en las cañerías.

MULLIGATAWNY

Esta aromática sopa se puede servir como entrante o como plato fuerte y es excelente para las fiestas. Las sobras son fáciles de congelar y luego se descongelan a temperatura ambiente. Al recalentar la sopa, asegúrate de que no hierva. Si te viene mejor, puedes preparar sólo la mitad de las cantidades indicadas en la receta usando los mismos tiempos de cocción.

Ingredientes para 12 raciones

1 taza de lentejas rojas
1/2 taza de arroz basmati
1/4 de taza de mantequilla clarificada
2 cebollas grandes, picadas muy finas
2 tallos de apio picados muy finos
2 zanahorias picadas
4 dientes de ajo picados
2 cucharaditas de jengibre fresco pelado y rallado
2 cucharaditas de granos de cilantro molidos
1 cucharada y 1/2 de cúrcuma molida
1 cucharadita de comino molido
1/2 cucharadita de canela molida
4 vainas verdes de cardamomo, machacadas, o 1/2 cucharadita
de cardamomo molido
1/2 cucharadita de semillas de hinojo
1/4 de cucharadita de guindilla en polvo (opcional)
1/4 de cucharadita de clavo molido
2 cucharadas de harina refinada de espelta
4 tazas de caldo de verduras de cultivo biológico, sin levadura
3 tazas de agua
3 pechugas de pollo deshuesadas y sin piel, cortadas
en dados de 2,5 cm (unos 300 gr)
2 patatas grandes, peladas y cortadas en dados
2 manzanas peladas, sin corazón y picadas
Sal marina al gusto
Pimienta negra recién molida al gusto
2 tazas de leche de coco
1 taza de nata líquida
1/4 de taza de hojas frescas de cilantro picadas (opcional)
1 cucharada de zumo de limón

1. Pon a remojar las lentejas y el arroz en agua caliente durante 20 minutos. Escúrrelos bien y resérvalos.

2. En una olla de 5,5 litros, combina la mantequilla, las cebollas, el apio y las zanahorias a fuego medio. Saltéalos removiendo a menudo durante unos 5 minutos, o hasta que la cebolla esté traslúcida.

3. Añade el ajo, el jengibre, los granos de cilantro, la cúrcuma, el comino, la canela, el cardamomo, el hinojo, la guindilla en polvo y el clavo. Deja que se cocinen durante 2 minutos, removiendo a menudo.

4. Espolvorea la harina por encima uniformemente y remueve bien durante 1 minuto, evitando que se formen grumos.

5. Añade las lentejas y el arroz que habías reservado, el caldo de verduras, el agua, el pollo, las patatas y las manzanas. Remuévelo todo bien. Sazona con sal y pimienta, reduce el fuego al punto medio-bajo y deja cocer a fuego lento durante 30 minutos, o hasta que las lentejas y el arroz estén blandos.

6. Añade la de leche de coco, la nata, las hojas de cilantro y el zumo de limón. Remueve bien la sopa hasta que se caliente. Si has usado vainas de cardamomo, deséchalas antes de servir.

8

ENSALADAS Y ALIÑOS

Las ensaladas han dejado de ser un mero entrante, pues ahora muchas de ellas son un plato fuerte en sí mismas. Y eso es estupendo, porque son alcalinizantes: cuantas más ensaladas comas, más sano estarás. Es así de sencillo. Las ensaladas equilibran el pH y aportan los nutrientes que el cuerpo necesita para rendir al máximo.

Este capítulo comienza ofreciendo recetas de diversos aliños alcalinizantes muy versátiles y luego pasa a las ensaladas. Las recetas van desde simples verduras de hoja verde, mezcladas y aliñadas, hasta platos más sustanciosos con ingredientes menos comunes como arroz, quinoa, boniato, gambas, naranjas o remolachas. Unas son excelentes entradas, mientras que otras llevan tantas verduras que constituyen el plato principal del menú. Ya verás como las ensaladas dejan de parecerte aburridas.

ALIÑOS

ALIÑO DE LIMÓN Y SEMILLAS DE AMAPOLA

Este aliño, ligero y picante, es una estupenda alternativa para tus ensaladas. El zumo de limón le da muy buen sabor, además de alcalinizarlo.

Ingredientes para 1 taza y 1/4

3/4 de taza de aceite de oliva suave
1/4 de taza de zumo de limón recién exprimido
2 cucharadas de mayonesa (sin soja, huevos ni gluten),
o mayonesa de almendras (página 159)
1 cucharada de semillas de amapola
2 cucharaditas de azúcar de caña integral
1/2 cucharadita de sal marina

1. En una fuente honda, bate todos los ingredientes hasta que emulsionen y el aliño adquiera una consistencia cremosa.
2. Guarda el aliño en un recipiente hermético dentro del refrigerador; así se conservará bien hasta 1 semana.

MAYONESA DE ALMENDRAS

Esta mayonesa, llena de proteínas y ácidos grasos omega, es uno de los productos básicos de mi dieta. Úsala como base en aliños para ensalada o úntala en los sándwiches de pollo; tiene todo el sabor de la mayonesa tradicional, pero carece de sus propiedades acidificantes.

Ingredientes para 2 tazas

1/2 taza de almendras peladas molidas o harina de almendra
1/2 taza de agua
3/4 de cucharadita de sal marina
1/2 cucharadita de mostaza en polvo
1/8 de cucharadita de pimentón
3/4 de taza de aceite de oliva suave
1/4 de taza de aceite de linaza
2 cucharadas de vinagre de sidra

1. Pon las almendras molidas en un robot de cocina y procésalas durante 1 minuto, o hasta obtener una harina muy fina. Si estás empleando harina de almendras, simplemente échala en el robot de cocina.
2. Añade el agua, la sal, la mostaza y el pimentón al robot y procésalos hasta que estén bien mezclados.
3. Combina los aceites en una taza graduada pequeña. Viértelos poco a poco en el robot, procesando a baja velocidad hasta que se mezclen bien.
4. Rebaña las paredes del vaso hacia dentro, añade el vinagre y vuelve a procesar la mezcla 1 o 2 minutos (o hasta que se espese).
5. Trasfiere la mayonesa a un recipiente hermético y refrigérala durante al menos 30 minutos antes de usarla. Se conserva en la nevera hasta dos 2 semanas (congelada en bolsas, hasta 3 meses.

ALIÑO OMEGA PARA ENSALADAS

Este sencillo aliño es una deliciosa manera de obtener ácidos grasos omega y alcalinizar tu organismo al mismo tiempo.

Ingredientes para 1 taza y 1/4

3/4 de taza de aceite de oliva virgen extra
1/4 de taza de aceite de linaza
3 cucharadas de vinagre de sidra
2 cucharadas de mayonesa (sin soja, huevo ni gluten)
o mayonesa de almendras (página 159)
1 diente de ajo pequeño trinchado
1/2 cucharadita de sal marina
Pimienta negra recién molida, al gusto

1. En una fuente grande, bate todos los ingredientes hasta que emulsionen y la mezcla se ponga cremosa.
2. Guarda el aliño en un recipiente hermético y mételo en el refrigerador; así te durará hasta 1 semana.

VARIANTE

Añade 1 cucharada de caldo de verduras en polvo y sin edulcorantes para obtener un aliño aún más alcalinizante, o dale un toque italiano echando 1 o 2 cucharaditas de albahaca u orégano molidos.

ALIÑO «DIOSA VERDE»

Este aliño para ensalada tan rico es idóneo para servirlo sobre un lecho de verduras de hoja verde variadas con trozos de tomate fresco.

Ingredientes para 1 taza

1/2 aguacate pequeño bien picado
1/4 de taza de mayonesa (sin soja, huevo ni gluten)
o mayonesa de almendras (página 159)
1/4 de taza de cebollino fresco trinchado o cebolleta troceada
1/4 de taza de perejil fresco bien picado
1 cucharada de caldo de verduras en polvo
1 cucharada de zumo de limón recién exprimido
1 diente de ajo grande, trinchado
1 cucharadita de pasta de anchoas
Sal marina, al gusto
Pimienta negra recién molida, al gusto

1. En un robot de cocina, mezcla todos los ingredientes y bátelos hasta conseguir una mezcla homogénea. Añade un poco de agua si el aliño resulta demasiado espeso.
2. Guarda el aliño en un recipiente y no lo dejes más de un semana en el frigorífico.

ENSALADAS

ENSALADA CÉSAR

Un amigo sirve la ensalada César de esta manera. Aunque al principio puede parecer un tanto extraña, es muy gratificante tomar pequeñas porciones de este delicioso plato.

Ingredientes para 6 raciones

3/4 de taza de aceite de oliva virgen extra
3 dientes de ajo cortados en láminas finas
4 rebanadas de pan de grano germinado
cortadas en dados de 1,25 cm.
El zumo de un limón mediano
1/8 de taza de sucedáneo de huevo
2 cucharaditas de vinagre de sidra
1/2 cucharadita de mostaza en polvo
1/2 cucharadita de sal marina
1/2 cucharadita de pimienta negra recién molida
3 cogollos de lechuga romana
De 80 a 100 g de queso parmesano rallado

1. En una taza grande, mezcla bien el aceite y el ajo y déjalo que repose durante 1 hora.
2. En una sartén de unos 30 cm, vierte 2 cucharadas del aceite con ajo y fríe el pan. A fuego medio, ve removiéndolo continuamente hasta que quede ligeramente tostado. Resérvalo.
3. Retira el ajo del aceite sobrante y deséchalo. Vierte el zumo de limón, el sucedáneo de huevo, el vinagre, la mostaza en polvo, la sal y la pimienta en el vaso mezclador y bátelo todo bien hasta que la mezcla emulsione y espese.
4. Corta cada cogollo longitudinalmente por la mitad, teniendo buen cuidado de que en cada mitad quede medio corazón de la lechuga con las hojas correspondientes. En platos indivi-

duales, coloca medio cogollo con las hojas hacia arriba, sobre cada uno añade una cantidad regular de aliño y unos 15 g de queso parmesano. Añade la misma cantidad de picatostes y sirve.

CONSEJO ÚTIL

Si te encanta de verdad el sabor del ajo, realiza el Paso 1 la noche anterior y deja la preparación en la nevera toda la noche, de este modo el aliño tendrá más sabor a ajo.

Ensalada de brécol con fideos soba

Aunque este plato resulta delicioso frío, yo suelo mezclar las verduras crudas con los fideos acabados de hacer, bien calientes, y lo sirvo todo en un plato ligeramente caliente. Hay que limpiar bien la capa externa de los tallos de brécol antes de trocearlos.

Ingredientes para 6 raciones

3 tazas de brécol finamente troceado
3 cebolletas muy troceadas
1 zanahoria grande, rallada
2 tazas y 1/4 de hojas de cilantro bien troceadas
1/4 de taza de pipas de calabaza crudas
2 cucharadas de aceite de oliva virgen extra
2 cucharadas de semillas de sésamo crudo
2 cucharadas de salsa tamari
1 cucharada de jengibre fresco rallado
1 cucharada de aceite de sésamo
1 ralladura de limón
225 g de fideos soba

1. En un bol grande, añade todos los ingredientes menos los fideos. Mézclalo todo bien y resérvalo.
2. Rompe la pasta en trozos de unos 8 centímetros de largo y cuécela siguiendo las instrucciones del envase, después, escúrrela. Cubre las verduras con la pasta y deja que éstas se hagan un poco con el vapor, tan sólo unos 3 minutos.
3. Mezcla todo bien y sirve. Si sobra, puedes conservarlo en la nevera hasta 3 días.

ENSALADA TOSCANA DE COL RIZADA CON PIPAS DE GIRASOL

Puede que ésta te parezca una manera un tanto inusual de presentar la col rizada, pero el resultado es una ensalada sabrosísima y con muchos nutrientes.

Ingredientes para 6 raciones

450 g de col rizada (preferiblemente de la variedad Toscana),
sin tallo y sin las hojas exteriores
1/4 de taza de aceite de oliva virgen extra
1/4 de cucharadita de sal marina
1/4 de taza de pipas de girasol crudas
2 cucharadas de zumo de limón recién exprimido
2 cucharadas de chalotas bien troceadas
1/4 de cucharadita de pimienta negra recién molida
1 taza de queso blanco, o mozzarella, rallado

1. Envuelve las hojas de col rizada, de manera que queden bien prietas, y córtalas en diagonal en tiras de unos 0,3 cm de ancho. Trocea las tiras.

2. En un bol grande echa la col, el aceite y la sal. Remueve hasta que quede todo bien mezclado y déjalo reposar unos 10 minutos.

3. En una sartén de unos 20 cm, tuesta las pipas de girasol a fuego medio y remuévelas con frecuencia, cada 3 minutos aproximadamente, o hasta que queden doradas. Retíralas del fuego.

4. Añade al bol de la col, zumo de limón, chalotas y pimiento, y mézclalo todo muy bien.

5. Adorna la ensalada con las pipas de girasol tostadas y un poco de queso. Sírvela.

ENSALADA DE BRÉCOL CON UVAS PASAS

Una ensalada clásica convertida en alcalina, no se trata de la típica ensalada que tomamos a diario, de modo que hazla un día que te apetezca enormemente salir de la rutina cotidiana.

Ingredientes para 6 raciones

4 tazas de cogollos de brécol
1 taza de uvas pasas negras
1 zanahoria grande, rallada
1/2 taza de cebolla roja bien troceada
1/2 taza de pipas de girasol crudas

Ingredientes para el aliño

3/4 de taza de mayonesa (sin soja, huevo ni gluten)
o mayonesa de almendras (página 159)
1/4 de taza de azúcar de caña integral
2 cucharadas de vinagre de sidra

1. En un bol grande, mezcla el brécol, las uvas pasas, la zanahoria, la cebolla y las pipas de girasol.
2. Pon en una taza medidora la mayonesa, el azúcar y el vinagre. Mézclalo todo bien con una cuchara.
3. Vierte el aliño sobre la ensalada, remuévelo todo bien y sírvelo.

VARIANTE

En esta ensalada se puede utilizar también 3/4 de taza aliño de semillas de amapola (página 158) en vez del que se indica anteriormente.

Ensalada Fattoush

Siempre pido esta ensalada en mi restaurante libanés favorito. Sus ingredientes, finamente troceados, son perfectos para rellenar una tortita o para hacer un sándwich.

Ingredientes para 6 raciones

2 panes redondos y planos de grano germinado,
o tortillas de multicereales (páginas 96-97)
2 tazas de pepino inglés cortado en dados
1 taza de perejil fresco bien picado
1/2 taza de cebolla roja finamente picada
5 rabanitos de tamaño mediano, finamente picado
2 tomates de tamaño mediano, sin semillas y bien troceados
1 pimiento morrón, finamente picado
1 cucharada de semillas de zumaque o de zataar (mezcla de especias)
1/4 de taza de zumo de limón recién exprimido
3 cucharadas de aceite de oliva virgen extra
1/4 de cucharadita de sal marina

1. Precalienta el horno a 200 °C. Unta ligeramente (con un pincel) los panecillos redondos y planos, típicos orientales, con aceite de oliva y ponlos a hornear en una placa de 28 ×18 cm. Tuéstalos durante unos 10 minutos, o hasta que queden un poco crujientes. Resérvalos.

2. En un bol grande, añade pepino, perejil, cebolla, rábanos, tomates, y pimiento morrón. Rocíalo todo con zumaque.

3. En un bol pequeño, mezcla zumo de limón, aceite y sal hasta que emulsione. Viértelo sobre las verduras del bol grande y mézclalo todo bien.

4. Corta en pedazos los panes tostados al horno, añádelos a la ensalada y sírvela.

Ensalada tabulé con quinoa

Este plato tradicional libanés ha llegado a ser muy reconocido en todo el mundo. En esta receta se sustituye el altamente acidificante trigo bulgur –base tradicional del tabulé– por la alcalinizante quinoa.

Ingredientes para 6 raciones

1 taza de quinoa
2 tazas de agua
4 tomates medianos, sin semillas y cortados en dados
1 pepino de tamaño mediano, pelado, sin semillas
y cortado en dados
1 taza de perejil fresco bien troceado
1 taza de cebolletas bien troceadas
1/4 de taza de pipas de girasol
1 cucharada sopera de menta seca o unas hojas
de menta fresca
3 cucharadas de aceite de oliva virgen extra
1 cucharada de vinagre de sidra
2 dientes de ajo prensados
1/2 cucharadita de sal marina

1. En una cazuela de 2,5 litros, mezcla la quinoa con agua y llévala a ebullición. Cuando arranque a hervir, reduce la intensidad del fuego, tapa la cazuela y deja que cueza unos 15 minutos, o hasta que la quinoa haya absorbido toda el agua y tenga un aspecto traslúcido. Retírala del fuego, ahuécala con un tenedor y deja que se enfríe.

2. En un bol grande, mezcla tomates, pepino, perejil, cebolletas, pipas de girasol, y unas hojas de menta.

3. En un bol pequeño bate aceite, vinagre, ajo, y sal hasta que la mezcla emulsione. Vierte este aliño sobre las verduras y mezcla todo bien.

4. Añade la quinoa a las verduras, vuelve a mezclar todo y sírvelo.

CONSEJO ÚTIL

Hay que mirar en el envoltorio de la quinoa si está precocida o remojada, de no ser así deben seguirse a rajatabla las instrucciones de cocción.

ENSALADA DE BONIATO

Este plato es muy sabroso y especialmente saludable, a diferencia de la ensalada de patata común, generalmente cubierta con la típica mayonesa acidificante. Siempre la llevo a las barbacoas y nunca sobra ni un poquito, ¡ay!

Ingredientes para 6 raciones

4 boniatos de tamaño mediano, pelados
y cortados a dados de unos 2,5 cm
6 u 8 hojas de col rizada, trinchada, sin tallo
1 pimiento morrón, troceado
1/2 taza de pipas de calabaza crudas
2 cucharadas de aceite de oliva suave
1/2 cucharadita de sal marina
2 tallos de apio, finalmente troceados
1/2 taza de uvas pasas negras
1/2 taza de cebolletas troceadas
1/4 de taza de aceite de oliva virgen extra
2 cucharadas de vinagre de sidra
1 cucharada de sirope de arroz

1. Precalienta el horno a 200 °C.
2. En una bandeja de asar de 23×33 cm mezcla bien las patatas, la col rizada, el pimiento morrón, las pipas de calabaza, el aceite de oliva y la sal. Hornea durante 15 minutos, o hasta que las patatas queden tiernas y doradas. Déjalo enfriar. Pásalo todo a un bol grande.
3. Añade a las verduras asadas, el apio, las uvas pasas, y las cebolletas y mézclalo todo muy bien.
4. En un bol pequeño, bate aceite de oliva virgen extra, vinagre y sirope de arroz hasta que emulsione la mezcla. Echa este aliño sobre las verduras y mézclalo todo. Ponlo en la nevera hasta el momento de servirlo.

ENSALADA DE HINOJO Y NARANJA

Si pudiéramos servir un bello día de primavera en un bol, tendría el mismo sabor que esta dulce combinación de hinojo y naranjas.

Ingredientes para 6 raciones

1 bulbo de hinojo grande
2 naranjas de tamaño mediano
1/2 cebolla roja, en rodajas finas
1/4 de taza de zumo de naranja
2 cucharadas de aceite de oliva virgen extra
1 cucharada de vinagre de sidra
1 cucharadita de semillas de amapola
Sal marina al gusto
6 tazas de varias verduras de hoja verde para ensalada

1. Divide el bulbo de hinojo en cuatro partes, quítale el corazón y desecha las hojas más cercanas al tallo. Córtalo en láminas delgadas y colócalo en un bol grande. Reserva.
2. Pelas las naranjas y quítales la piel blanca. Córtalas en cuatro partes y lamínalas trasversalmente. Añade al hinojo las naranjas.
3. En un bol pequeño mezcla bien el zumo de las naranjas, aceite, vinagre, semillas de amapola y sal hasta que emulsione. Verter sobre el hinojo hasta que quede cubierto.
4. Prepara 1 taza de una mezcla de hojas verdes para ensalada en boles individuales y encima de cada bol echa la mezcla de hinojo y naranjas. Listo para servir.

ENSALADA DE GAMBAS Y AGUACATE

Esta ensalada es la prueba de que uno puede disfrutar de sus platos favoritos siempre que tengan un pH equilibrado. En esta receta, el aguacate y las verduras –muy alcalinizantes– equilibran el carácter altamente acidificante de las gambas, y lo hacen de una manera deliciosa.

Ingredientes para 4 raciones

2 cucharadas de mayonesa (sin soja, huevo ni gluten)
o mayonesa de almendras (página 159)
2 cucharadas de nata líquida
1 cucharada de queso crema, a temperatura ambiente
Una pizca de pimienta negra recién molida
1 pizca de sal marina
1/2 taza de gambas cocidas
3 cucharadas de apio troceado
3 cucharadas de pepino troceado
2 cucharadas de eneldo o perejil fresco (opcional)
1 cucharadita de cebolla troceada
2 aguacates
Pimentón
4 tazas de hojas verdes para ensalada

1. En un bol de tamaño mediano, añade mayonesa, nata líquida, queso crema, pimiento y sal, y mézclalo todo muy bien con una cuchara.

2. Añade las gambas, el apio, el eneldo y la cebolla. Mézclalo todo muy bien y guárdalo en la nevera al menos durante 1 hora.

3. Corta los aguacates por la mitad y quítales los huesos. Con una cuchara, rellena cada mitad de aguacate con las gambas preparadas que guardas en la nevera. Espolvorea cada aguacate con un poco de pimentón.

4. Coloca las hojas de ensalada en platos individuales y pon medio aguacate relleno encima de ellas. Listo para servir.

«El Tao es la Unidad. De la Unidad proceden el yin y el yang; de estos dos últimos, la energía creativa (qi); de la energía, los diez mil seres, todas las formas de la creación. Toda la vida encarna el yin y abarca el yang; a través de la unión de ambos se alcanza la armonía».

–Lao-Tsé, filósofo

ENSALADA ARCO IRIS

En la época de máximo esplendor de los frutos del bosque, de las bayas, no puedo por menos que hacer esta colorista ensalada. Es como preparar de una sola vez un plato principal y uno de postre. Disfrútala acompañada de un bol de sopa de verduras y la experiencia será redonda.

Ingredientes para 4 raciones

6 tazas de hojas verdes de tamaño pequeño para ensalada
2 tazas de fresas fileteadas
1/2 taza de arándanos
1/2 taza de gajos de mandarina
1/2 taza de cebolla roja finamente cortada
1/2 taza de pimiento morrón finamente cortado
1/4 de taza de pipas de calabaza

Ingredientes para el aliño

1/3 de taza de zumo de naranja
2 cucharadas de mantequilla de almendra
1 cucharada y 1/2 de vinagre de sidra
1 cucharada de aceite de oliva virgen extra (opcional)
1/4 de cucharadita de sal marina
Pimienta negra recién molida, al gusto

1. En un bol grande, dispón las hojas verdes para ensalada, las fresas, los arándanos, la naranja, la cebolla, el pimiento morrón y las pipas de calabaza.
2. Echa en un bol pequeño todos los ingredientes del aliño y mézclalos bien con una cuchara.
3. Vierte el aliño en la ensalada, mézclalo todo bien y sirve.

CONSEJO ÚTIL

Si utilizas mandarinas en lata, ten cuidado de que no contengan azúcar, pues eso acidificaría la receta.

ENSALADA DE COL

Esta sencilla ensalada es sabrosa, crujiente y muy fácil de preparar. El rábano picante le da un toque enérgico a la vez que alcaliniza el plato.

Ingredientes para 6 raciones

5 tazas de repollo troceado (1 pieza de tamaño mediano)
1 zanahoria de tamaño mediano, rallada
1/2 taza de mayonesa (sin soja, huevo ni gluten)
o mayonesa de almendras (página 159)
1 cucharada de vinagre de sidra
1 cucharada de rábano picante preparado
1 cucharada de azúcar de caña integral
1/2 cucharadita de sal marina

1. En un bol grande, mezcla bien todos los ingredientes con una cuchara.
2. Enfría durante 30 minutos y sirve.

ENSALADA DE REMOLACHA Y NARANJA

Esta ensalada no sólo es deliciosa y también alcalinizante sino que además tiene un aspecto magnífico en el plato.

Ingredientes para 4 raciones

4 remolachas de tamaño mediano
2 naranjas navelinas grandes
1/4 de taza zumo de naranja
1 cucharada de vinagre de sidra
1 cucharada de ralladura de cáscara de naranja
1 cucharada de azúcar de caña integral
3/4 de cucharadita de sal marina
1/2 taza de aceite de oliva virgen extra
4 cebollas rojas finamente cortadas
4 tazas de hojas verdes para ensalada cortadas en trozos pequeños

1. Recorta los rabos de las remolachas. Colócalas en una cazuela de unos 4 litros, cúbrelas con agua y déjalas hervir unos 30 minutos o hasta que estén tiernas. Escúrrelas, déjalas enfriar, pélalas y córtalas en rodajas de unos 2,5 cm. Reserva.

2. Pela las naranjas y retira la piel interior blanca. Separa los gajos y córtalos en trozos de unos 0,6 cm. Reserva.

3. En una cazuela de 1,5 litros, mezcla el zumo de naranja, el vinagre, la piel de la naranja, el azúcar, y la sal y ponlo a hervir hasta que el contenido se reduzca a 1/4 de taza. Retira la preparación del fuego y déjala enfriar.

4. En un bol grande, mezcla la reducción del zumo de naranja con aceite y bátelo hasta que emulsione.

5. Añade a la mezcla las remolachas, las naranjas y la cebolla y bátelo todo bien con una cuchara. Déjalo en la nevera como mínimo 1 hora.

6. Monta 4 boles individuales de ensalada, colocando primero las hojas verdes de ensalada y luego una porción de la mezcla preparada de remolacha y naranja. Listo para servir.

Consejo útil

Si dispones de poco tiempo, cuece un día antes las remolachas y guárdalas en el frigorífico. En caso de apuro, puedes utilizar remolachas en lata o cocidas y envasadas al vacío, de igual modo puedes sustituir las naranjas por mandarinas envasadas pero que no contengan azúcar.

VERDURAS MARINADAS A LA ITALIANA

Las verduras marinadas se conservan bien en el frigorífico, y esta receta puede servir como guarnición de prácticamente cualquier plato. Yo a menudo añado un par de tazas de esta ensalada a la pasta cocida y un poco de queso parmesano rallado y ya tengo una comida rápida.

Ingredientes para 8 raciones

4 tazas de coliflor (1 coliflor entera)
3 zanahorias de tamaño mediano cortadas en dados
3 ramas de apio cortadas en dados
1 lata de 500 g de garbanzos o alubias, escurridos
1 lata de 400 g de corazones de alcachofa en cuartos
1 lata champiñones (opcional)
1/2 taza de pimiento morrón o pimiento rojo asado
1/4 de taza de aceitunas troceadas (opcional)
1/4 de taza de tomates secos en juliana
3 dientes de ajo, finamente troceado
2/3 de taza de aceite de oliva virgen extra
1/4 de taza de vinagre de sidra
1/4 de taza de aceite de linaza
2 cucharaditas de albahaca en polvo
1 cucharadita de sal marina
1/2 cucharadita de orégano en polvo

1. Llena con agua la mitad de una cazuela de 4,5 litros y ponla a hervir. Añade la coliflor, las zanahorias y el apio al agua hirviendo, reduce el fuego y déjalo hervir unos 15 minutos, o bien hasta que las verduras estén tiernas, aunque no excesivamente cocidas. Escúrrelas y resérvalas.

2. En un bol grande mezcla garbanzos, alcachofas, champiñones, pimientos, aceitunas, tomates y ajos, y añade después las verduras cocidas. Mezcla todo bien.

3. En un bol pequeño, bate el aceite de oliva, el vinagre, el aceite de linaza, la albahaca, la sal, y el orégano hasta que quede

todo bien emulsionado. Viértelo sobre las verduras y déjalo marinar en la nevera durante 1 hora antes de servirlo.

CONSEJO ÚTIL

Los ramitos de coliflor congelados pueden sustituirse por coliflor fresca, y la receta aún será más fácil de preparar.

ENSALADA DE POLLO AL GUSTO ASIÁTICO

Esta ensalada es excelente como plato principal. Repleta de verduras, es alcalinizante, extremadamente nutritiva y llena mucho.

Ingredientes para 8 raciones

1/4 de taza de almendras fileteadas
3 tazas de pechuga de pollo cocida y cortada en dados (unos 350 g)
1 taza de col china o de berza finamente troceada
1 taza de guisantes
1 zanahoria grande, en juliana o rallada
1/2 taza de apio en trozos pequeños
1/2 taza de pepino troceado
1/2 taza de pimiento verde en dados
1/2 taza de cebolleta troceada
1/2 taza de castañas de agua troceadas
1/4 de taza de semillas de sésamo crudas

Ingredientes para el aliño

1 cucharada de miso blanco
1/4 de taza de agua caliente
1/2 taza de mayonesa (sin soja, huevo ni gluten),
o mayonesa de almendras (página 159)
3 cucharadas de jengibre fresco rallado
2 cucharadas de salsa tamari
1 cucharada de aceite de sésamo
2 cucharaditas de azúcar de caña integral
Sal marina al gusto
Pimienta negra recién molida al gusto

1. En una sartén de 25 cm tuesta las almendras a fuego medio durante unos 3 minutos, o hasta que queden tostadas. Ten cuidado de no quemarlas. Resérvalas.
2. En un bol grande coloca el pollo, las verduras y las semillas de sésamo y mézclalo todo bien.
3. En un bol de tamaño mediano disuelve el miso con agua caliente. Añade la mayonesa, la salsa tamari, el aceite de sé-

samo, el azúcar y la sal. Mézclalo bien con una cucharada y viértelo sobre el pollo y las verduras. Adórnala con almendras y sirve.

Un historia del equilibrio entre los extremos

La importancia de un buen equilibrio ha ido llegando de antiguas civilizaciones a nuestra sociedad moderna a través de los siglos. La idea de un deseable punto medio entre dos extremos se encuentra en el antiguo pensamiento griego, *aurea mediocritas:* el justo término medio. Los filósofos chinos en el confucionismo hablan de la «doctrina del término medio», el taoísmo lo hace con el yin y el yang; del mismo modo que el budismo indio alude al «camino del medio. El concepto, prestado de esos sistemas de creencias, forma la base de muchas artes marciales asiáticas y también de la medicina oriental.

En los últimos años, el equilibrio como objetivo ha influenciado a la sociedad norteamericana de numerosas maneras, entre ellas una creciente conciencia sobre el equilibrio del pH. El intento de conseguir un equilibrio entre alimentos acidificantes y alcalinizantes no difiere mucho del objetivo de armonía que perseguían los grandes pensadores del pasado. Como entonces, la moderación sigue siendo el certero camino hacia la sabiduría y la buena salud.

Ensalada tibia de champiñones y espárragos

El sabor a cítricos de esta ensalada deja patente que se trata de una apuesta alcalinizante.

Ingredientes para 6 raciones

1/4 de taza de zumo de naranja recién exprimido
2 cucharadas de zumo de limón
1 cucharada de zumo de lima
1 cucharada de ralladura de cáscara de naranja
2 cucharaditas de ralladura de cáscara de limón
2 cucharaditas de ralladura de cáscara de lima
2 cucharadas de melaza
2 cucharadas de sirope de arroz
2 cucharadas de agua
2 dientes de ajos prensados
2 cucharaditas de mostaza en grano
350 g de champiñones, cortados por la mitad
170 g de espárragos, sin la parte dura del extremo
y cortados en diagonal
1 pimiento rojo cortado en tiras finas
6 tazas de hojas verdes para ensalada, de tamaño pequeño

1. En una cazuela de 4,4 litros, echa los zumos de fruta y las ralladura de las cáscaras. Añade la melaza, el sirope de arroz, el agua, el ajo y la mostaza, mézclalo todo bien y ponlo a hervir a fuego medio.
2. Añade los champiñones a la cazuela y remuévelos durante unos 2 minutos. Retira del fuego.
3. En una sartén de 30 cm, coloca los espárragos formando una sola capa. Cúbrelos con agua y llévalos a ebullición a fuego vivo. Tápalos, retíralos del fuego y déjalos 1 minuto en el agua. Escurre bien los espárragos y colócalos en un bol con agua helada para evitar que sigan cociéndose. Vuelve a escurrirlos.
4. Saca los champiñones de la cazuela con una espátula y resérvalos en un bol mediano.

5. Coloca la cazuela en el fuego y deja que hierva. Reduce el fuego y deja que hierva de 2 a 4 minutos más, o hasta que quede un poco espeso. Retira del fuego la cazuela y deja que se enfríe un poco.
6. En un bol grande, mezcla los champiñones, los espárragos, el pimiento rojo y las hojas verdes para ensalada. Muévelo todo bien. Prepara 6 porciones iguales en cada unos de los platos individuales, riégalo con la salsa y sirve los platos.

«La salud es la mayor riqueza».

—Virgilio, poeta

Ensalada de manzana Robyn

Esta receta está inspirada en una ensalada que preparó un día la hija de unos buenos amigos. Me pareció tan deliciosa que no pude por menos que hacer de ella una versión alcalinizante e incluirla en el libro.

Ingredientes para 6 raciones

1/4 de taza de pipas de calabaza crudas
6 tazas de hojas verdes o de lechuga romana
cortadas a tamaño pequeño
2 manzanas de tamaño mediano cortadas en láminas finas
1/2 taza de cebolla roja en rodajas finas

Ingredientes para el aliño

1/3 de taza de zumo de manzana sin azúcar
3 cucharadas de aceite de oliva virgen extra (opcional)
3 cucharadas de sirope de arroz
2 cucharadas de mantequilla de almendra
2 cucharadas de mostaza en grano
1 cucharada de vinagre de sidra
1/4 de cucharadita de sal marina
Pimienta negra recién molida al gusto

1. En una sartén de 25 cm, tuesta las pipas de calabaza, removiendo continuamente, a fuego medio y durante unos 3 minutos, o bien hasta que empiecen a saltar y estén un poco doradas. Retira de inmediato de la sartén.
2. En un bol grande, mezcla las hojas verdes para ensalada con las manzanas, la cebolla y las semillas tostadas de calabaza.
3. En un bol pequeño, mezcla el zumo de manzana con el aceite de oliva, el sirope, la mantequilla, la mostaza, el vinagre, la sal y la pimienta. Muévelo todo bien con una cuchara.
4. Echa el aliño sobre la ensalada, mézclalo bien y sírvelo.

ROLLOS DE ENSALADA TAILANDESA

Estos rollos de ensalada están repletos de diversos sabores y texturas. El característico sabor de las hojas de cilantro, combinado con el de la aromática albahaca y la textura crujiente de las verduras frescas, hace de este plato un número uno.

Ingredientes para 16 rollitos

16 láminas de papel de arroz
2 tazas de brotes de alubias escurridos
1 taza de albahaca cortada en trozos grandes (unos 45 o 50 g)
2 zanahorias en juliana
1 pimiento rojo cortado en tiras finas
1 pimiento verde pequeño cortado en tiras finas
8 cebolletas cortadas en tiras finas
1/2 taza de hojas de cilantro fresco cortado en trozos grandes
2 cucharaditas de semillas de sésamo crudo
1 salsa oriental (página 190)

1. Llena un recipiente de unos 23 cm con agua caliente y sumerge en él las láminas de papel de arroz durante unos 5 segundos, o hasta que se queden blandas. Retira el exceso de agua de las láminas y colócalas sobre una superficie plana.

2. Prepara una pequeña cantidad de brotes germinados de alubias y un poco de albahaca en medio de cada lámina. Añade una porción de zanahorias, pimientos morrones, y cebolletas. Espolvoréalas con las hojas de cilantro y las semillas de sésamo. No pongas demasiado relleno o se romperán.

3. Dobla los extremos de cada lámina sobre el relleno, luego enróllala hasta que quede completamente cerrada. Deja los rollitos que vayas haciendo sobre una superficie húmeda y guárdalos en la nevera.

4. Repite el proceso hasta acabar con todos los ingredientes. Sirve con salsa una china.

ENSALADA DE ARROZ BASMATI

Si quieres una ensalada diferente, no busques más, aquí tienes este delicioso plato elaborado con arroz basmati y montones de verduras. La combinación de granos de cilantro, comino y canela hace que sea un plato lleno de sabor, alcalinizante y muy saludable.

Ingredientes para 8 raciones

4 tazas de arroz basmati cocido
1/2 taza de hojas de cilantro frescas
1/2 taza de pasas de Corinto
1/2 taza de cebolletas finamente cortadas
1 pimiento verde de tamaño mediano cortado en dados
1 pimiento rojo mediano cortado en dados
1 pepino pequeño cortado en cuatro trozos a lo largo
y luego en trozos de 0,6 cm
1/2 taza de aceite de oliva virgen extra
3 cucharadas de zumo de limón recién exprimido
1 cucharada cilantro en grano molido
2 cucharaditas de comino molido
1 cucharadita de canela molida
Sal marina al gusto
Pimienta negra recién molida al gusto
1/2 taza de almendras fileteadas

1. En un bol grande, añade el arroz, las hojas de cilantro, las pasas, las cebolletas, los pimientos y el pepino. Mézclalo muy bien todo.

2. En un bol pequeño, bate el aceite con el zumo de limón, los granos de cilantro, el comino, la canela, la sal y la pimienta. Viértelo sobre la ensalada de arroz y mézclalo bien.

3. En una sartén de 25 cm, tuesta las almendras a fuego medio durante unos 3 minutos, o hasta que queden ligeramente tostadas, ten cuidado de no quemarlas. Echa las almendras sobre la ensalada y sirve el plato.

«Se puede afirmar que una conducta es mala tanto por defecto como por exceso, igual que es malo para la salud tanto la falta de ejercicio como su exceso. De igual modo, si la comida y la bebida son insuficientes o excesivas, arruinan la salud. Lo mismo sucede con la templanza, la fortaleza y las demás virtudes. [...] Así pues, podemos decir que estas virtudes se destruyen por exceso y por defecto, pero que el término medio las conserva. [...] En toda acción puede haber exceso, defecto y término medio, al menos respecto al que actúa. [...] Por consiguiente, la virtud ética se refiere a unos determinados términos medios».

—Aristóteles, filósofo

9

SALSAS

Ya sea sobre platos sabrosos, como pescado o pollo asado, verduras al vapor, pasta, o bien esparcidas sobre tentaciones dulces como tortitas, waffles o pasteles, las salsas suelen ser un ingrediente infravalorado en una receta. Pero una buena salsa puede hacer de un plato bueno, uno inolvidable. Lamentablemente, una buena salsa puede ser muy acidificante, y aquí es donde este capítulo entra en materia.

Con sólo hacer unos pequeños cambios en las recetas tradicionales, como la de la salsa holandesa o la bechamel, puedes disfrutar del sabor de una salsa sin tener que mandar nivel de pH a tomar viento fresco. Cambia unos cuantos ingredientes por otros menos acidificantes y obtendrás un delicioso complemento con un pH equilibrado apto para cualquier plato.

SALSA ORIENTAL PARA APERITIVOS

Ésta es una salsa fantástica para los rollitos de huevos, rollitos de primavera o para rollitos vegetales. Añádele algo de arroz y de verduras salteadas y tendrás un auténtico plato de inspiración oriental.

Ingredientes para 1/2 taza

1/2 cucharadita de wasabi en polvo
2 cucharaditas de agua
3 cucharadas de sirope de arroz
3 cucharadas de salsa tamari
1 cucharada de vinagre de sidra
1 cucharada de melaza
1 diente de ajo prensado

1. En un bol pequeño, mezcla el wasabi y el agua con una cuchara.
2. Añade el resto de ingredientes al agua con wasabi y remuévelo bien. Si te sobra salsa, puedes guardarla en la nevera durante 2 días.

PESTO CON SEMILLAS DE CALABAZA

En invierno, soy capaz de conducir dos horas sólo por conseguir albahaca fresca y hacer este pesto. Puede utilizarse con pasta, patatas asadas y verduras cocidas. Si quieres utilizarla para hacer sándwiches puedes añadirle un poco de mayonesa.

Ingredientes para 1 taza y 1/2
1 taza de pipas de calabaza crudas
3 tazas de albahaca fresca
3 dientes de ajo grandes prensados
1/2 cucharadita de sal marina
1/2 taza de aceite de oliva virgen extra

1. En una sartén de 25 cm, tuesta las pipas de calabaza a fuego medio durante unos 3 minutos, o hasta que las pipas empiecen a saltar y se tuesten ligeramente. Retíralas del calor enseguida.
2. Con un robot de cocina o una batidora tritura las pipas de calabaza tostadas, la albahaca, el ajo y la sal hasta que quede una mezcla bien fina.
3. Añade aceite a la batidora y bátelo todo de nuevo, a velocidad baja, durante unos 30 segundos o hasta que emulsione. No lo tritures demasiado, si no quieres que el pesto quede como una sopa.
4. Puedes conservar el pesto en el frigorífico en un recipiente de cierre hermético durante una semana aproximadamente, o bien puedes verterlo en una bandeja de hacer cubitos de hielo y congelarlo.

CONSEJO ÚTIL
Para que el pesto se conserve fresco y verde en la nevera, cúbrelo con una capa fina de aceite. Si añades el pesto a un plato caliente, hazlo en el último momento, pues si se cuece puede adquirir un cierto sabor amargo.

SALSA HOLANDESA

Ésta es la versión alcalinizante de la tradicional salsa holande-
sa. A mí me encanta acompañar con ella platos de espárragos,
de coliflor o de salmón.

Ingredientes para 1 taza y 3/4
1/2 taza de claras de huevo a temperatura ambiente
1/4 de cucharadita de sal marina
Una pizca de cayena molida
1 taza de mantequilla clarificada
3 cucharadas de zumo de limón recién exprimido
a temperatura ambiente

1. Coloca en una batidora las claras de huevo, la sal y la cayena y bátelo todo a alta velocidad durante unos 2 segundos.
2. En un cazo de 1 litro calienta la mantequilla a fuego lento. Añade la mantequilla caliente a la batidora y bátelo todo a alta velocidad durante unos 30 segundos o hasta que espese.
3. Añade el zumo de limón y bátelo todo unos cuantos segundos más. Pasa la salsa a un bol de vidrio grande y éste dentro de una cazuela con agua caliente (al baño maría) para mantenerla caliente hasta el momento de servirla. Puedes guardar la salsa sobrante en la nevera, tapada, durante 2 o 3 días y recalentarla al baño maría, pero recuerda que debes batirla antes de servir.

CONSEJO ÚTIL
En vez de calentar la mantequilla en un cazo, puedes utilizar una taza medidora y calentarla en el horno microondas.

SALSA BLANCA

Ésta es una versión alcalinizante de la salsa blanca común y corriente. No tiene nada de extraordinaria, tan sólo un magnífico sabor. Para servir con verduras o añadir a un guiso.

Ingredientes para 1 taza y 1/2

2 cucharadas de mantequilla clarificada
2 cucharadas de harina refinada de espelta
1/4 de cucharadita de sal marina
1 taza y 1/4 de leche de almendras sin endulzar

1. En un cazo de 1 litro, calienta a mantequilla a fuego lento. Añade la harina y remueve continuamente durante 1 o 2 minutos o hasta que espese.

2. Añade un poco de sal, después la leche y deja que cueza sin dejar de remover durante unos 5 minutos o hasta que espese. La salsa sobrante puedes guardarla en la nevera durante 2 días, o unos 2 meses en el congelador. Para recalentarla, colócala en un fogón a muy baja temperatura y remuévela suavemente con una varilla.

SALSA BECHAMEL

No dejes que el nombre de esta salsa te obnubile. La salsa bechamel es básicamente una salsa blanca con un poco de glamur. Esta versión alcalinizante puede utilizarse para hacer sopas cremosas o para cubrir y enriquecer un plato de verduras o de carne.

Ingredientes para 1 taza y 1/2

1 cebolla pequeña
1 hoja de laurel
3 clavos
2 cucharadas de mantequilla clarificada
2 cucharadas de harina refinada de espelta
1/4 de cucharadita de sal marina
1 taza y 1/4 de leche de almendras sin endulzar
Una pizca de nuez moscada rallada

1. Haz un corte a la cebolla e introduce en ella la hoja de laurel. Clava en la cebolla unas cuantos clavos y resérvala.

2. En un cazo de 1 litro, calienta la mantequilla a fuego lento. Mézclala con la harina y cuécela durante 1 o 2 minutos.

3. Añade leche al cazo y, lentamente, la leche fría, batiéndolo todo muy bien.

4. Añade a la salsa la cebolla preparada y la nuez moscada y cuécela, removiendo de vez en cuando, durante unos 10 minutos. Retira la cebolla y vuelve a cocer la salsa unos 10 minutos más o hasta que esté espesa. La salsa sobrante puedes guardarla 2 días en la nevera, o 2 meses en el congelador. Para calentarla, ponla a fuego lento y ve removiéndola lentamente con una varilla.

SALSA DE MANTEQUILLA DE MANZANA

Esta salsa resulta buenísima con tortitas, de modo que echa un vistazo al capítulo de desayunos y elige una receta de tortitas.

Ingredientes para 1 taza y 1/2

1 taza de mantequilla de manzana integral
1/4 de taza de agua o de zumo de manzana sin azúcar
1/4 de taza de sirope de arroz
1 cucharadita de canela molida

---

1. En un cazo de 1 litro, mezcla todos los ingredientes, pon el cazo a fuego lento y ve dándole vueltas con una cuchara durante unos 5 minutos, o hasta que quede bien ligado y caliente. Si la salsa te queda demasiado espesa, añádele un poco más de agua. Puedes guardarla 2 días en la nevera, y hasta 2 meses en el congelador. A la hora de utilizarla, puedes recalentarla a fuego lento, mezclándola bien con una varilla.

SALSA DE QUESO

La salsa de queso es una de las salsas favoritas de mucha gente, pero sus acidificantes ingredientes representan un verdadero problema para el equilibrio del pH. En esta receta se acaba con la acidez de la salsa tradicional utilizando mantequilla clarificada, leche de almendras y queso fresco.

Ingredientes para 2 tazas

2 cucharadas de mantequilla clarificada
2 cucharadas de harina refinada de espelta
1/4 de cucharadita de sal marina
1 taza y 1/4 de leche de almendras sin endulzar
1/2 taza queso blanco o mozzarella rallada
1/2 cucharadita de pimentón

1. En un cazo de 1 litro, calienta la mantequilla a fuego lento. Añade la harina y bátela con una varilla mientras la cueces entre 1 o 2 minutos, o bien hasta que se espese.

2. Añade sal y después, lentamente, la leche. Déjala cocer a fuego lento unos 10 minutos más, o hasta que quede espesa.

3. Añade el queso y el pimentón a la salsa y remuévela bien hasta que el queso se haya fundido por completo. Puedes guardar la salsa sobrante unos 2 días en la nevera o hasta 2 meses en el congelador. Para recalentarla, colócala en un cazo, a fuego lento, y ve batiéndola suavemente con una varilla.

SALSA DE TOMATE CON ALBAHACA

Yo sirvo esta salsa sobre verduras al vapor, y también sobre pollo a la parrilla. La albahaca fresca siempre aporta algo especial a las recetas.

Ingredientes para 1 taza

2 cucharadas de mantequilla clarificada
2 cucharadas de harina refinada de espelta
1/4 de cucharadita de sal marina
1 taza de leche de almendras sin endulzar
1/4 de taza de nata líquida
2 cucharadas de concentrado de tomate
1 diente de ajo prensado
3 cucharadas de albahaca fresca bien trinchada

1. En un cazo de 1 litro, calienta la mantequilla a fuego lento. Añade la harina y cuece, removiendo con frecuencia durante 1 o 2 minutos, o hasta que espese.
2. Añade al cazo la sal, la leche y la nata y bátelo todo bien. Cuécelo durante unos 10 minutos, o hasta que espese, sin dejar de remover.
3. Ahora, añade a la salsa el concentrado de tomate, el ajo y la albahaca y mézclalo todo hasta que esté bien caliente. La salsa sobrante puedes dejarla en la nevera unos 2 días, o en congelador hasta unos 2 meses, después se puede recalentar a fuego lento removiéndola suavemente con una varilla.

SALSA DE LIMÓN

Dulce y ácida, esta salsa resulta sencillamente deliciosa, sobre todo sobre un pastelillo caliente de jengibre (página 278).

Ingredientes para 2 tazas

2 cucharadas de arruruz en polvo
1 taza y 1/4 y 2 cucharadas de agua, por separado
La ralladura de la corteza de 1 limón grande
3/4 de taza de sirope de arroz
El zumo de 1 limón grande
2 cucharadas de mantequilla clarificada
1 pizca de sal marina

1. En un bol pequeño, mezcla la harina de arruruz con 2 cucharadas de agua. Mézclalo bien con una cuchara y reserva.
2. En un cazo de 1 litro, pon a hervir a fuego vivo 1 taza y 1/4 de agua. Añádele la ralladura de limón, reduce el fuego a temperatura media, y déjalo hervir unos 3 minutos.
3. Añade al cazo el sirope de arroz y remuévelo bien. Añade también la mezcla de arruruz y cuécelo durante 5 minutos, o hasta que espese, sin dejar de remover. Retira el cazo del fuego.
4. Ahora, añade a la salsa el zumo de limón, la mantequilla y la sal, remuévelo bien hasta que quede bien ligado. La salsa sobrante puedes guardarla en la nevera durante 1 o 2 días, o en el congelador hasta 2 meses. Para recalentarla, hazlo a fuego lento y removiéndola suavemente con una varilla.

SALSA DE JENGIBRE Y NARANJA CON ALMENDRAS TOSTADAS

Esta salsa resulta deliciosa con brécol salteado o al vapor. El jengibre le da un toque asiático maravilloso y además es muy alcalinizante.

Ingredientes para 1/2 taza

1/4 de taza de almendras fileteadas
2 cucharadas de zumo de naranja
1 cucharada de ralladura de cáscara de naranja
1 cucharada de aceite de oliva suave
1 cucharada de sirope de arroz
1 cucharada de salsa tamari
1 diente de ajo pequeño prensado
2,5 cm jengibre fresco, pelado y rallado
1/4 cucharadita de sal marina

1. En una sartén de unos 25 cm, tuesta las almendras a fuego medio, removiendo de vez en cuando, durante unos 3 minutos, o hasta que queden ligeramente doradas. No las quemes.
2. En un bol pequeño, mezcla bien las almendras tostadas con el resto de los ingredientes. Puedes guardar la salsa sobrante en la nevera durante 1 o 2 días.

SALSA DE ALMENDRAS

Esta sencilla salsa no sólo resulta excelente para acompañar el pescado y la carne a la plancha, sino que además es alcalinizante gracias a las almendras.

Ingredientes para 3/4 de taza

1/2 taza de leche de almendras sin endulzar
1/4 de taza de almendras molidas
1 cucharada de chalotas troceadas
1/4 de cucharadita de sal marina

1. Mezcla todos los ingredientes en la batidora y tritúralos hasta conseguir una pasta blanda.
2. Pasa la mezcla a un cazo de 1 litro y cuécelo a baja temperatura, removiendo continuamente entre 5 y 7 minutos hasta que esté bien caliente. La salsa sobrante puedes guardarla en la nevera durante 1 o 2 días, o en el congelador hasta unos 2 meses; puedes calentarla a fuego lento removiéndola con una varilla.

VARIANTE

Para aportar a esta salsa un sabor especial, añádele una pizca de azafrán.

SALSA DE LIMÓN SABROSA

En esta deliciosa salsa, los efectos alcalinizantes de la mantequilla clarificada, el caldo vegetal y el zumo de limón equilibran el ligero efecto acidificante de la harina de espelta. Sobre pescado o pollo a la parrilla esta salsa constituye un plato magnífico.

Ingredientes para 1 taza y 1/2

2 cucharadas de mantequilla clarificada
2 cucharadas de harina refinada de espelta
1 taza de caldo vegetal sin levadura
El zumo de 1 limón
La ralladura de la cáscara de 1 limón

1. En un cazo de 1 litro, calienta la mantequilla a fuego lento. Añade la harina y cuece sin dejar de remover durante 1 o 2 minutos, o hasta que espese.

2. Lentamente, vierte el caldo vegetal en el cazo, y ve removiendo con frecuencia mientras lo cueces durante unos 5 minutos, o hasta que espese.

3. Añade a la salsa resultante el zumo y la ralladura de limón y remueve bien. Guarda la salsa sobrante en la nevera durante 1 o 2 días, o en el congelador hasta unos 2 meses. Calienta la salsa a fuego lento, removiéndola constantemente con una varilla.

SALSA DE FRUTOS DEL BOSQUE

Sirve esta deliciosa salsa de frutos del bosque sobre tortitas, pasteles o waffles y conseguirás un plato sumamente delicioso.

Ingredientes para 2 tazas

2 cucharaditas de arruruz en polvo
3 cucharadas de agua, separadas
2 tazas de frutos del bosque congelados y sin edulcorar
2 cucharadas de azúcar de caña integral

---

1. En un bol pequeño, mezcla la harina de arruruz con 1 cucharada de agua. Bate bien la mezcla con una cuchara y resérvala.
2. En un cazo de 1 litro, echa la mezcla de frutos del bosque con las 2 cucharadas de agua restantes. Llévalo a ebullición y deja que cueza a fuego medio durante unos 5 minutos, o hasta que la fruta esté bien caliente.
3. Mezcla la harina de arruruz y el azúcar con las bayas. Reduce el fuego y deja que hierva unos 5 minutos, removiendo de vez en cuando, o hasta que el azúcar se haya disuelto bien y la salsa haya espesado un poco. La salsa sobrante puede guardarse en la nevera 1 o 2 días, o bien en el congelador hasta unos 2 meses. Se calienta a fuego lento, removiendo suavemente con una cuchara de madera.

CONSEJO ÚTIL

Si se desea retirar las semillas de los frutos una vez cocidos, deben pasarse por un cedazo de tela fina con la ayuda de la parte posterior de una cuchara de madera, y antes de añadirle el arruruz y el azúcar. A mí personalmente me gusta que las bayas o frutos conserven las semillas por su valor nutritivo y su contenido en fibra.

10

VERDURAS Y CEREALES

Sea cual sea la opinión que uno tenga sobre las verduras, lo cierto es que comer más verduras es la manera más fácil de alcalinizar la dieta y conseguir un organismo con un pH equilibrado. Pero comer a diario un plato gigante de verduras al vapor puede llegar a ser aburrido, y ese aburrimiento a menudo lleva a ser muy indulgente con los dulces y la comida rápida y, en consecuencia, inclinar el sistema orgánico a la acidificación.

Para evitar el aburrimiento, presento aquí una colección de recetas sorprendentemente sabrosas que contiene montones de saludables y alcalinizantes verduras, así como unos suculentos y saciantes cereales. Una vez se familiariza uno con estos platos, resulta fácil combinar las verduras y los cereales y sustituir unos por otros según las propias preferencias a la hora de crear unos platos con un pH equilibrado. Las posibilidades son infinitas.

Arroz Mahogany

Originario de Japón, el arroz japonés es una mezcla de arroz negro de grano corto y arroz Mahogany de grano medio. Su sabor a nueces y champiñones casa a la perfección con las cebollas caramelizadas de este plato.

Ingredientes para 6 raciones

3 cucharadas de mantequilla clarificada
4 cebollas grandes en finas rodajas
1 taza de arroz japonés o arroz de grano corto negro
y arroz Mahogany
2 tazas de agua
1/2 cucharadita de sal marina

1. En una cazuela de 2,5 litros, calienta la mantequilla a fuego medio-bajo. Añade las cebollas y póchalas durante unos 25 minutos, removiendo muy a menudo, o bien hasta que queden muy tostadas y ligeramente caramelizadas.

2. Añade el arroz a la cazuela y mézclalo bien removiendo durante unos 2 minutos.

3. Añade lentamente el agua y la sal a la cazuela y llévalo a ebullición a fuego fuerte, removiéndolo una o dos veces. Tápalo, reduce el fuego a temperatura baja y déjalo hervir unos 45 minutos o hasta que haya absorbido el agua, removiéndolo de vez en cuando. Comprueba de vez en cuando si el arroz está tierno, y añádele más agua si es necesario.

4. Retira la cazuela del fuego, tápala y deja reposar el arroz unos 10 minutos. Espónjalo con un tenedor y sirve.

CALABACÍN DE INVIERNO CON RELLENO OTOÑAL

El aroma de este plato atraerá a todo el mundo a tu cocina. Contiene las mejores delicias del otoño y el invierno. Para que el plato sea redondo, sírvelo sobre una cama de hojas verdes de ensalada cortadas en trozos pequeños.

Ingredientes para 6 raciones

3 calabacines pequeños (1,3 kilos)
1 cucharada de mantequilla clarificada
1 cebolla pequeña bien troceada
1 rama de apio bien troceado
1 taza y 1/4 de carne de cerdo picada (unos 170 g)
1 manzana pequeña, sin corazón, con piel, y bien troceada
1/4 de taza de pipas de calabaza crudas
1/4 de taza de uvas pasas
1/2 cucharadita de canela molida
Sal marina al gusto
Pimienta recién molida al gusto
1 taza y 1/2 de arroz integral cocido, kasha o mijo

1. Precalienta el horno a 190 °C.
2. Corta cada calabacín por la mitad, a lo largo, y quítales las semillas. Coloca las mitades cara abajo en dos fuentes para el horno de 23×33 cm. Llena las fuentes con 1,25 cm de agua y hornea los calabacines durante unos 40 minutos, o hasta que estén tiernos, mientras preparas el relleno.
3. En una sartén de unos 30 cm, calienta la mantequilla a fuego medio. Añádele la cebolla y el apio. Guísalo, removiendo de vez en cuando, durante unos 5 minutos, o hasta que queden tiernos.
4. Añade a la sartén la carne picada, la manzana, las pipas de calabaza y las uvas pasas. Ve removiéndolo de vez en cuando y déjalo de 5 a 7 minutos o hasta que esté cocido. Añade canela, pimienta y sal. Muévelo todo bien.

5. Añade el arroz a la sartén y mézclalo todo muy bien. Apártalo del fuego y reserva.

6. Una vez que los calabacines están cocidos, saca la fuente del horno y da la vuelta a los calabacines. Rellena cada mitad con la carne preparada y vuelve a colocar la fuente en el horno. Cúbrelas con papel de aluminio y hornéalos durante unos 15 minutos, o hasta que esté todo bien caliente.

SURTIDO DE VERDURAS ASADAS AL ESTILO ITALIANO

Ya sean servidas como guarnición o como acompañamiento de un plato de pasta, este surtido de verduras está sencillamente delicioso. Colócalas sobre una tortilla, añádelas a una buena porción de pesto con semillas de calabaza (página 191), cúbrelas con queso blanco o mozzarella y tendrás un plato magnífico.

Ingredientes para 10 raciones

6 dientes de ajo cortados en trozos grandes
2 cebollas grandes en rodajas
2 bulbos de hinojo de tamaño mediano cortados a lo largo
2 calabacines medianos cortados en cuatro trozos
a lo largo y luego troceados
1 berenjena pequeña en dados de unos 2,5 cm
1 pimiento rojo grande en dados
1 pimiento verde en dados
1 lata de corazones de alcachofas escurridas
y cortadas en cuatro trozos cada una
1/4 de taza de aceite de oliva suave
1 cucharada de albahaca en polvo
1 cucharadita de orégano en polvo
1 cucharadita de sal marina
1/2 cucharadita de semillas de hinojo

1. Precalienta el horno a 200 °C. Engrasa ligeramente dos fuentes para el horno de unos 23×33 cm y resérvalas.
2. En un bol grande, echa el ajo, las cebollas, el hinojo, el calabacín, la berenjena, los pimientos, las alcachofas y el aceite, y mézclalo todo bien.
3. Añádele albahaca, orégano, sal y semillas de hinojo y mezcla todo muy bien.
4. Coloca las verduras preparadas en las bandejas del horno, extendiéndolas bien.
5. Asa las verduras durante unos 35 minutos o hasta que queden tiernas y ligeramente tostadas y sirve.

HORTALIZAS ASADAS

Este plato es multiusos, yo lo he preparado también para desa-
yunar, junto a un poco de quinoa cocida y un huevo pasado por
agua. Constituye además un magnífico complemento.

Ingredientes para 8 raciones

6 dientes de ajo grandes, enteros
5 chirivías tamaño mediano,
cortadas en dados de 2,5 cm
4 patatas de tamaño mediano, sin pelar
y cortadas en dados de 2,5 cm
2 boniatos grandes, sin pelar
y cortados en dados de 2,5 cm
2 cebollas grandes, cortadas en rodajas
1 calabaza moscada de tamaño mediano
cortada en dados de 2,5 cm
1/4 de taza de aceite de oliva suave
1 cucharadita de sal marina

1. Precalienta el horno a 200 °C. Con aceite vegetal, engrasa ligeramente, dos fuentes para el horno de 23×33 cm y resérvalas. En un bol grande, mezcla el ajo, las chirivías, las patatas y
las cebollas, muévelo bien y añade un poco de aceite.
2. Añade a las hortalizas un poco de sal marina y vuelve a remover todo.
3. Coloca las hortalizas en las fuentes ya preparadas, extendiéndolas en una sola capa.
4. Hornea las verduras durante unos 35 minutos o hasta que
queden ligeramente doradas y estén tiernas al pincharlas con
un tenedor. Sírvelas.

PASTEL DE NABOS

Tengo que admitir que soy una gran forofa de este plato. Lo podría comer para desayunar, para comer y para cenar. Así que no te dejes asustar por el nabo, pues acabará gustándote tanto como a mí.

Ingredientes para 6 raciones

6 tazas de nabos cortados en dados
1/3 de taza de sucedáneo de huevo
2 cucharadas de mantequilla clarificada
3 cucharadas de harina refinada de espelta
1 cucharada de azúcar de caña integral
1 cucharadita de levadura en polvo
3/4 de cucharadita de sal marina
Una pizca de nuez moscada molida
1/2 taza de pan rallado de pan de espelta o de cereales
2 cucharadas de mantequilla clarificada derretida

1. Precalienta el horno a 190 °C. Engrasa con mantequilla clarificada o aceite vegetal una fuente para horno de 2,5 litros y resérvala.
2. En una cazuela de unos 2,5 litros, coloca los nabos, cúbrelos con agua y deja que empiece a hervir a fuego fuerte. Cuando el agua hierva a borbotones, baja el fuego y deja que se cuezan los nabos a fuego lento, removiéndolos de vez en cuando, durante unos 10 minutos o hasta que queden tiernos.
3. Escúrrelos y pásalos a un bol o a un robot de cocina. Tritúralos bien.
4. Añádeles el sucedáneo de huevo y la mantequilla y mézclalo todo bien con una cuchara o con batidora.
5. En un bol pequeño, mezcla la harina, el azúcar, la levadura en polvo, la sal y la nuez moscada. Añade los ingredientes secos a los nabos y mézclalo todo bien, ya sea a mano o con la batidora. Vierte la masa resultante en la fuente engrasada.

6. En otro bol, mezcla bien con una cuchara el pan rallado y la mantequilla derretida. Espolvorea las migas sobre la masa de nabos.

7. Hornéalo de 25 a 30 minutos, o hasta que quede la superficie ligeramente tostada, y sirve.

SURTIDO DE VERDURAS ASADAS AL ESTILO INDIO

Como quedan mejor estas verduras es sobre un lecho de arroz basmati. Y en vez de prepararlas con el curry en polvo de siempre, que además de aburrido puede ser acidificante, yo mezclo un poco de cúrcuma con otras cuantas especias para dar a este plato un cierto estilo indio.

Ingredientes para 10 raciones

6 dientes de ajo cortados en trozos grandes
4 patatas de tamaño mediano, sin pelar y cortadas en dados de 2,5 cm
2 boniatos grandes, sin pelar y cortados en dados de 2,5 cm
2 cebollas grandes en rodajas
1 berenjena de tamaño mediano, cortada en dados de 2,5 cm
1 coliflor de tamaño mediano, cortada en dados de 2,5 cm
1/4 de taza de mantequilla clarificada derretida
1 cucharada de cilantro molido
2 cucharaditas de cebolla en polvo
1 cucharadita de cúrcuma molida
1 cucharadita de molido comino
1 cucharadita de sal marina
1/2 cucharadita de semillas de comino negro (opcional)
Guindilla en polvo, al gusto
Hojas de cilantro fresco como guarnición

1. Precalienta el horno a 200 °C. Engrasa ligeramente, con aceite vegetal, dos fuentes o bandejas para el horno de 23×33 cm y resérvalas.

2. En un bol grande, mezcla el ajo, las patatas, las cebollas, la berenjena, la coliflor y la mantequilla.

3. Añade unos granos de cilantro, cebolla en polvo, cúrcuma, comino molido, sal y guindilla en polvo y remuévelo muy bien.

4. Coloca las verduras en una sola capa sobre las bandejas ya preparadas.

5. Asa las verduras durante unos 35 minutos, o bien hasta que queden ligeramente doradas y estén tiernas. Adorna las bandejas con unas hojas de cilantro y sirve.

QUINOA A LA ESPAÑOLA

En vez de arroz, prueba a preparar este plato proteínico. No sólo es más saludable que el arroz, sino que además se prepara antes.

Ingredientes para 6 raciones

2 cucharadas de mantequilla clarificada
1 cebolla de tamaño mediano, finamente cortada
1 pimiento verde pequeño, finamente cortado
2 dientes de ajo prensados
1 cucharadita de pimentón dulce
1/2 cucharadita de sal marina
1 taza de quinoa
1 taza y 1/2 de agua
1 tomate grande, sin semillas, finamente cortado
1 cucharada de alcaparras, o 1/4 de taza
de aceitunas troceadas
2 cucharaditas de ralladura de cáscara de limón

1. En una cazuela de 4,5 litros, calienta la mantequilla a fuego medio-alto. Añádele la cebolla y el pimiento. Guísalo, removiendo de vez en cuando, durante unos 5 minutos, o hasta que la cebolla quede trasparente.

2. Añade el ajo, el pimentón y la sal y déjalo al fuego 1 minuto más.

3. Ahora, añade la quinoa a la cazuela y guísala 3 minutos, o hasta que se tueste ligeramente.

4. Echa agua en la cazuela y deja que hierva a fuego fuerte. Reduce a fuego medio y déjalo que cueza unos 15 minutos, o hasta que la quinoa absorba completamente el agua y parezca traslúcida y aparezca un círculo en la semilla.

5. Añade a la cazuela el tomate, las alcaparras y la ralladura de limón y mézclalo todo muy bien con la ayuda de una cuchara.

Tápalo, retira del fuego y déjalo reposar unos minutos. Esponja cuidadosamente con un tenedor y sirve.

Consejo útil

Hay que mirar en el envoltorio de la quinoa si está precocida o remojada, de no ser así deben seguirse a rajatabla las instrucciones de cocción.

BONIATOS ASADOS

¿Cómo es posible que los boniatos estén tan ricos y además sean tan alcalinizantes, te preguntarás? Pues no lo sé, pero tenemos suerte de que ambas cosas sean ciertas. Esta versión de boniatos asados actualizada es tan maravillosa como guarnición que como tentempié.

Ingredientes para 8 mitades de boniato

4 boniatos sin pelar
1 cucharada de mantequilla clarificada
1 cucharadita de granos de cilantro molidos
1/2 cucharadita de sal marina
1/4 cucharadita de canela molida
1/4 de taza de leche de almendras sin endulzar
1/8 de taza de queso crema
4 cebolletas, bien troceadas
1/2 cucharadita de pimentón

1. Precalienta el horno a 200 °C.
2. Pincha los boniatos varias veces con un tenedor y colócalos en una bandeja de horno de 23×33 cm. Hornéalos durante 1 hora, o hasta que estén tiernos. Sácalos del horno y deja éste a una temperatura de 175 °C.
3. Corta los boniatos a lo largo y con cuidado vacíales la pulpa, dejando unos 0,6 cm de ella en la piel, luego echa la pulpa en un bol mediano y resérvala.
4. En un cazo de 1,5 litros, echa la mantequilla, los granos de cilantro, la sal y la canela y, a fuego lento, deja que cueza unos 30 segundos, removiendo una o dos veces.
5. Añade a continuación la leche y el queso crema y mézclalo todo bien con una cuchara.
6. Mezcla bien este preparado de leche y queso con la pulpa de los boniatos, añádele las cebolletas, y con una cuchara remuévelo todo muy bien.

7. Rellena cada mitad de boniato con la masa preparada y colócalos todos en la bandeja para hornear. Espolvorea los boniatos rellenos con un poco de pimentón y hornéalos durante unos 20 minutos, o hasta que empiecen a dorarse, y sirve.

«Cuando el centro y la armonía han alcanzado su máximo grado de perfección, la paz y el orden reinan en el cielo y en la tierra, y todos los seres alcanzan su total desarrollo».

—Confucio, filósofo

CRUMBLE VEGETAL

La sana combinación de verduras ya es por sí sola una razón su-ficiente para festejar este plato de equilibrado pH, pero cuando hayas probado este crumble vegetal harás cualquier cosa por conseguir otro bocado.

Ingredientes para 8 raciones

2 tazas de cogollos de brécol (1 brécol)
2 tazas de cogollos de coliflor (1/2 coliflor)
2 tazas de calabaza cortada en dados
1 calabacín de tamaño mediano, cortado en trozos grandes
1 pimiento rojo pequeño, cortado en trozos grandes
1/2 taza de cebolla roja finamente troceada
2 cucharadas de mantequilla clarificada
2 cucharadas de harina refinada de espelta
1 taza y 1/2 de leche de almendras sin endulzar
1/2 taza de queso blanco o mozzarella
en trozos pequeños (unos 100 g)
1 diente de ajo prensado
1/2 cucharadita de sal marina

Ingredientes para la cobertura de crumble

1/4 de taza de mantequilla clarificada
1/4 de taza de harina refinada de espelta
1/4 de taza de copos de avena tradicionales
2 cucharadas de semillas de sésamo crudas

1. Precalienta el horno a 190 °C. Engrasa ligeramente, con aceite vegetal, una fuente para horno de 2,5 litros y resérvala mientras preparas este crumble vegetal.

2. Mezcla la mantequilla, la harina, los copos de avena y las semillas de sésamo en un bol pequeño o en un robot de cocina. Remuévelo todo con una cuchara o mézclalo con el robot hasta que quede una textura tipo crumble, y reserva.

3. En una cazuela de 4,5 litros, echa el brécol, la coliflor, la calabaza, el calabacín, el pimiento y la cebolla en agua y ponlo a hervir a fuego fuerte. Reduce el fuego a temperatura media y cuécelo sin tapar, removiendo de vez en cuando, durante unos 10 minutos, o hasta que las verduras estén ligeramente tiernas. Escúrrelas y échalas en la fuente para el horno.

4. Reduce el fuego, añade la mantequilla y la harina a la cazuela y deja que cueza unos 2 minutos removiendo de vez en cuando.

5. Añade poco a poco la leche sin dejar de remover hasta que espese.

6. Ahora añade el queso blanco, el ajo, y la sal a la cazuela y sin dejar de mover deja que se mezcle todo muy bien. Echa esta salsa sobre las verduras.

7. Rocía las verduras con el crumble y hornéalo durante unos 25 minutos, o hasta que quede una costra dorada, y sirve.

«Nuestro cuerpo es nuestro jardín, y nuestra voluntad, el jardinero».

–William Shakespeare

VERDURAS Y CEREALES

RISOTTO CON ESPÁRRAGOS

A buen risotto requiere un poco más de atención y de cariño que otras recetas, pero es una satisfacción personal dedicar a este plato clásico el tiempo y la paciencia que requiere.

Ingredientes para 8 raciones

1 taza de agua
2 cucharadas de zumo de limón recién exprimido
450 g de espárragos, de los que se ha desechado la parte dura, cortados en trozos de unos 5 cm (unas 2 tazas)
8 tazas caldo vegetal de cultivo biológico
(si es preparado que no contenga levadura)
3 cucharadas de mantequilla clarificada, por separado
1 cebolla pequeña, cortada en dados pequeños
1 taza y 1/2 de arroz arborio
1/4 de taza de queso parmesano rallado
1/4 de cucharadita de sal marina
Pimienta negra recién molida al gusto
1 cucharada de perejil

1. En un bol pequeño, mezcla el agua con el zumo de limón y remueve bien.

2. En una sartén de 30 cm, coloca los espárragos en una sola capa. Añade el limón y el agua de modo que los cubra y llévalos a ebullición a fuego vivo. Retíralos del fuego y déjalos reposar en el agua 1 minuto.

3. Escurre los espárragos y pasa el agua con limón a una cazuela de 4,5 litros. Coloca los espárragos en un bol de tamaño mediano y cúbrelos con agua fría para detener su cocción. Escúrrelos de nuevo y resérvalos.

4. Añade el caldo vegetal a la cazuela de 4,5 litros con el agua de limón y ponlo a hervir. Reduce el fuego, remueve bien y déjalo que hierva fuego lento.

5. En una sartén de unos 30 cm, calienta 2 cucharadas de mantequilla a fuego medio. Añade la cebolla y saltéala unos 5 minutos, o hasta que quede trasparente.

6. Añade el arroz a la sartén, removiendo bien para que quede bien mezclado con la mantequilla.

7. Echa en la sartén 1/2 taza del caldo vegetal, de una vez y sin dejar de remover, hasta que el arroz absorba por completo el agua. Repite el proceso con la otra mitad de caldo, durante unos 20 minutos, hasta que el arroz quede cremoso y ligeramente entero. Es posible que quede algo caldoso.

8. Retira la sartén del fuego. Añade al arroz, los espárragos, el queso, la cucharada restante de mantequilla, la sal y la pimienta y mézclalo todo bien con una cuchara. Espolvorea con un poco de perejil y sirve.

PATATAS ASADAS AL ESTILO GRIEGO

Recuerda que las patatas son nuestras amigas alcalinas. No contienen grasas, no tienen colesterol y son ricas en vitamina C y en potasio. Dado que por lo general en su cultivo se utilizan una gran cantidad de pesticidas, siempre que puedas compra las de cultivo biológico.

Ingredientes para 6 raciones

6 patatas grandes, peladas
1/2 taza de aceite de oliva virgen extra
2 dientes de ajo prensados
1 cucharadita de orégano en polvo
1 cucharadita de pimentón
1/2 cucharadita de sal marina
Pimienta negra recién molida al gusto
1 taza y 1/2 de caldo vegetal de cultivo biológico y sin levadura
Zumo de 1 limón

1. Precalienta el horno a 175 °C. Corta las patatas por la mitad, a lo largo y luego en rodajas de unos 5 cm.
2. Mezcla en un bol de tamaño mediano las patatas con el aceite. Añade el ajo, el orégano, el pimentón, la sal y la pimienta. Remuévelas muy bien.
3. Coloca las patatas en una rustidera de 28×43 cm, aproximadamente, y resérvalas.
4. En un bol pequeño, mezcla el caldo y el zumo de limón. Vierte cuidadosamente el caldo en la rustidera, desde un extremo, hasta que llegue al centro.
5. Cubre la rustidera con papel de aluminio, colócala en la rejilla inferior del horno y hornea durante 45 minutos, o hasta que las patatas estén tiernas.
6. Retira el aluminio, aumenta la temperatura a 200 °C y hornea durante 10 minutos, o hasta que las patatas queden crujientes y ligeramente tostadas. Déjalas reposar de 5 a 10 minutos y sirve.

«El mayor desafío es alcanzar el equilibrio: un equilibrio entre todos los opuestos, entre todos los polos. El desequilibrio es la enfermedad, y el equilibrio la salud. El desequilibrio es neurosis, y el equilibrio bienestar».

—Osho, maestro espiritual

VERDURAS Y CEREALES

PATATAS GRATINADAS

Para equilibrar el pH de esta receta apenas tuve que rectificar una cosa. Eso lleva a preguntarnos si nuestras abuelas ya sabían en su época la importancia de seguir una dieta con un pH equilibrado.

Ingredientes para 6 raciones

4 cucharadas de mantequilla clarificada, por separado
3 cucharadas de harina refinada de espelta
1 cucharadita de sal marina
1/4 cucharadita de pimienta negra recién molida
2 tazas y 1/2 de leche de almendras sin endulzar
6 patatas de tamaño mediano, peladas y cortadas en rodajas finas
1 cebolla de tamaño mediano, cortada en aros finos

1. Precalienta el horno a 150 °C. Engrasa ligeramente con mantequilla clarificada una fuente para horno de unos 2,5 litros y resérvala.

2. En una cazuela de 2,5 litros, calienta 3 cucharadas de mantequilla a fuego medio, echa la harina, la sal marina y la pimienta y sin dejar de remover cuécelo todo unos 5 minutos o hasta conseguir una crema suave.

3. Sube la potencia del fuego y ve incorporando poco a poco la leche. Deja que hierva durante 1 minuto.

4. Coloca las patatas sobre la fuente del horno, y sobre ellas un tercio de las cebollas y un tercio de la crema preparada anteriormente. Monta dos capas más. Por último echa por encima la mantequilla restante.

5. Cubre la fuente con papel de aluminio y hornea durante 1 hora o hasta que las patatas estén tiernas. Retira el papel de aluminio y hornea las patatas 10 minutos más o hasta que estén crujientes y ligeramente tostadas. Déjalo reposar de 5 a 10 minutos y sirve.

GNOCCHI DE BONIATO CON MANTEQUILLA DE SALVIA

Estos gnocchi valen mucho más que el tiempo que se emplea en prepararlos. Y son además una deliciosa manera de incluir en la dieta los nutritivos y alcalinizantes boniatos.

Ingredientes para 6 raciones

2 boniatos grandes, pelados y cortados
en trozos de unos 2,5 cm
2 dientes de ajos prensados
1 cucharadita de sal marina
1/2 cucharadita de nuez moscada molida
2 tazas de harina refinada de espelta
1/4 de taza de queso parmesano rallado

Ingredientes para la salsa de mantequilla y salvia

1/2 taza de mantequilla clarificada
1/2 cucharadita de salvia molida o bien 8 hojas
de salvia fresca
1/2 cucharadita de sal marina
Pimienta negra recién molida al gusto

1. En una cazuela de 4,5 litros, cubre las patatas con agua y llévalas a ebullición a fuego vivo. Reduce el calor a temperatura media y deja hervir las patatas 15 minutos o hasta que estén tiernas. No las cuezas en exceso. Escurre las patatas y después prénsalas con una prensapatatas o un pasapurés. Hazlo en un bol grande.

2. Añade a las patatas el ajo, la sal y la nuez moscada y mézclalo bien todo con una cuchara. Añádele harina hasta que quede una masa firme, pero suave y ligera. Utiliza más harina si es preciso. Tápalo y guárdalo en la nevera unos 30 minutos.

3. Echa la masa en una superficie enharinada y divídela en 6 piezas. Con las manos, haz con capa pieza unos cilindros gruesos, de unos 2,5 cm. y si se te pega añádele harina. Corta los cilindros en porciones de 1, 25 cm.

4. Llena tres cuartas partes de la cazuela de 4,5 litros con agua ligeramente y llévala a ebullición. Después, reduce la potencia del fuego y añade los gnocchi en tandas de 10 a 12 unidades. Hierve durante 5 minutos o hasta que floten y después hiérvelos 1 minuto más. Retira los gnocchi con una espumadera y ponlos en una bandeja de horno de unos 28×43 cm cubierta con papel parafinado.

5. Deja los gnocchi reposar a temperatura ambiente durante unos 30 minutos, mientras preparas la salsa de savia.

6. Para preparar la salsa, calienta la mantequilla a fuego medio en una sartén de unos 30 cm hasta que se dore ligeramente. Añade enseguida la salvia, con cuidado, pues la mantequilla puede salpicar.

7. Echa los gnocchi en la sartén y saltéalos, removiéndolos suavemente durante unos 5 minutos o hasta que estén bien calientes y algo tostados. Sirve los gnocchi en una fuente. Repite la operación con más gnocchi hasta hacerlos todos. Añádeles sal y pimienta y remueve todo bien.

8. Vierte el resto de la salsa sobre los gnocchi, echa queso por encima y sirve.

11

Platos principales

En este capítulo maestro, una selección de platos norteamericanos, pero también platos de otras partes del mundo. La única diferencia entre estas recetas y sus versiones tradicionales es la proporción de verduras que contiene cada plato. Mientras en un plato tradicional la carne suele jugar el papel de protagonista y las verduras el de guarnición, aquí los papeles se invierten.

Muchos de los platos que siguen a continuación son muy saludables y también saciantes, aunque no incluyan carne alguna. Y en las recetas que incluyen carne, utilizo muchas verduras alcalinizantes frente a una porción muy medida de proteínas de origen animal. Si usas estas pautas, tus comidas serán más alcalinas, saludables y sabrosas, y además aligerarán tu presupuesto económico.

ESTOFADO DE POLLO CON ROMERO Y LIMÓN

No te asustes con los pasos que hay que seguir en esta receta. Este plato es bastante fácil de preparar y el tiempo que lleva merece verdaderamente la pena.

Ingredientes para 6 raciones

1/4 de taza de harina refinada de espelta
1/2 cucharadita de sal marina
1/2 cucharadita de pimentón
3 medias pechugas de pollo deshuesadas y sin piel (unos 170 g)
3 cucharadas de aceite de oliva suave, por separado
2 cebollas de tamaño mediano cortadas en trozos grandes
1 lata de corazones de alcachofa, escurridos
y cortados en trozos pequeños
1 pimiento rojo grande, cortado en trozos grandes
1/4 de taza de aceitunas en rodajas
2 dientes de ajo grandes, prensados
1 cucharadita de romero seco triturado
4 tazas de caldo vegetal de cultivo biológico, sin levadura
3 zanahorias de tamaño mediano bien picadas
225 g de judías verdes, deshiladas y cortadas en trozos de unos 2,5 cm
1/4 de taza de agua
El zumo de 1 limón de tamaño mediano
Pimienta negra recién molida al gusto
1/4 de taza de perejil fresco trinchado

Ingredientes para la masa de romero y limón

2 tazas de harina refinada de espelta
1 cucharada de levadura en polvo
1/2 cucharadita de sal marina
7/8 de taza de leche de almendras sin endulzar
2 cucharaditas de ralladura de cáscara de limón
1/2 cucharadita de romero seco trinchado

1. En una bolsa de plástico, introduce la harina, la sal y el pimentón, ciérrala bien y sacúdela para que quede todo bien mezclado. Ve añadiendo a la bolsa trozos de pollo y vuelve a removerlo todo para que quede el pollo bien cubierto con la mezcla. Sacude los trozos de pollo para quitar el exceso de harina y reserva el resto de la preparación.

2. En una sartén o cazuela de unos 4,5 litros, calienta 2 de las 3 cucharadas de aceite a fuego medio-bajo. Fríe el pollo du-

rante unos 5 minutos por cada lado o hasta que quede algo tostado. Pon el pollo frito en una fuente y reserva.

3. Añade a la cazuela las cebollas y la cucharada de aceite restante y fríe las cebollas durante unos 5 minutos, o hasta que queden casi trasparentes.

4. Añade las alcachofas, el pimiento rojo, las aceitunas, los ajos y el romero, removiendo de vez en cuando durante unos 5 minutos o hasta que el pimiento esté tierno.

5. Echa el pollo en la cazuela y añádele el caldo, las zanahorias y las judías verdes. Reduce el fuego a velocidad media-baja, cubre la cazuela y deja que hierva mientras haces la masa de romero y limón.

6. Precalienta el horno a 90 °C. Engrasa ligeramente, con mantequilla clarificada, una fuente para el horno y déjala preparada a un lado.

7. Para hacer la masa, bate la harina, la levadura en polvo y la sal en un bol de tamaño mediano.

8. En un bol pequeño, mezcla bien la leche, la ralladura de limón y el romero.

9. Mezcla los ingredientes líquidos y los secos y bátelos con una cuchara.

10. Ve echando cucharadas de la masa preparada en el estofado. Aumenta el fuego, cubre, y deja que cueza durante unos 15 minutos, o hasta que pinchando las bolas de masa con un palillo éste quede limpio.

11. Pon las bolas de masa en la fuente del horno preparada y mete ésta en el horno para mantenerlas calientes.

12. En un bol, echa la mezcla de harina para empanar el pollo con agua. Mézclalo bien con una cuchara hasta que no tenga grumos y échalo en el estofado. Añade el zumo de limón y la pimienta al guiso y deja que hierva todo un minuto o dos.

13. Reparte el estofado en 6 boles individuales, asegurándote de que haya 2 trozos de pollo por ración. Añade unas cuantas bolas de masa a cada bol, adorna con perejil y sirve.

TALLARINES CON SALSA DE ALMEJAS

Por suerte en este caso, las almejas son menos acidificantes que otros mariscos. De modo que, teniendo eso en cuenta, disfruta de este plato junto a una buena ensalada.

Ingredientes para 6 raciones

900 g de tallarines o arroz integrales
2 cucharadas de mantequilla clarificada
2 cucharadas de aceite de oliva virgen extra
1 cebolla grande bien troceada
4 dientes de ajo prensados
1 cucharada y 1/2 de sal marina, por separado
1 cucharadita de orégano en polvo
1/4 cucharadita de chili en copos
2 latas de almejas pequeñas, escurridas. Reservar el líquido
2 cucharadas de harina refinada de espelta
1/2 taza de nata líquida
1/2 taza de perejil fresco picado

1. En una olla grande, de unos 6 litros, cuece la pasta los minutos que figuren en el envase. Escúrrela y déjala preparada.

2. Mientras la pasta cuece, calienta la mantequilla a fuego lento en una sartén de unos 30 cm. Añádele el aceite y la cebolla. Guisa la cebolla unos 5 minutos o hasta que se ablande pero sin que se tueste.

3. Añade a la sartén el ajo, una cucharadita de sal, orégano y los copos de chili, y déjalo en el fuego hasta que salga el aroma del ajo, sin que se queme.

4. En un bol pequeño, mezcla el líquido de las almejas con la harina y mézclalo muy bien con una cuchara. Añade el contenido a la sartén y déjalo hervir unos 5 minutos, o hasta que espese, sin dejar de remover.

5. Añade a la sartén las almejas, la nata líquida y 1/4 de taza de perejil y déjalo en el fuego pero sin que llegue a hervir.

6. Ahora añade a la sartén la pasta y mézclalo todo bien durante 2 o 3 minutos o hasta que la pasta haya absorbido todo el aroma y sabor de la salsa.
7. Sazona con pimienta y con la sal restante, echa por encima el ¼ de taza de perejil y sirve.

PASTA DE VERANO

Esta receta es una versión mucho más alcalina de otra similar, aunque menos nutritiva, que yo solía hacer. Servida con verduras variadas, este nuevo plato es perfecto tanto para la comida como para la cena.

Ingredientes 4 raciones

1 taza de agua hirviendo
6 tomate secos troceados
280 g de pasta de espelta o arroz integral
2 cucharadas de mantequilla clarificada
1 lata de 400 g de corazones de alcachofa, escurridos
y cortados en trozos
3 tazas de calabacines verdes y amarillos cortados en dados
(unos 3 calabacines de tamaño mediano)
3 dientes de ajo prensados
1 taza de leche de almendras sin endulzar
1/4 de taza de queso crema
2 cucharadas de zumo de limón recién exprimido
1/4 de cucharadita de extracto de humo
1/4 de taza de albahaca fresca troceada, o 1 cucharada
y media de pesto con semillas de calabaza (página 191)
Sal marina al gusto
Pimienta negra recién molida al gusto

1. En un bol resistente al calor, coloca el agua y los tomates secos. Deja éstos en remojo durante unos 20 minutos o hasta que estén suficientemente blandos para cortarlos con facilidad. Tras escurrirlos, trocéalos.

2. Cuece la pasta siguiendo las instrucciones del envoltorio. Escurre y reserva.

3. Mientras se cuece la pasta, calienta la mantequilla a fuego medio en una sartén de unos 25 cm. Añade las alcachofas y saltéalas de 5 a 7 minutos o hasta que queden ligeramente crujientes.

4. Añade a la sartén los tomates secos, el calabacín y el ajo y saltéalos, removiendo todo de vez en cuando, durante unos

4 minutos o hasta que el calabacín quede un poco tierno. Pasa las verduras a un bol grande.

5. Añade la leche y el queso crema y mézclalo bien con una cuchara.

6. Echa en la sartén el zumo de limón y el extracto de humo y mezcla bien. Vierte la salsa sobre las verduras. Añade la pasta cocida junto con la albahaca, la sal y la pimienta. Mezcla todo bien y sirve.

«En todos los objetos realmente bellos se aprecia la oposición entre las partes y un equilibrio recíproco entre ellas».
—John Ruskin, crítico de arte

CERDO MOO SHU

He simplificado esta receta sustituyendo el envoltorio de papel de arroz por las tradicionales tortitas chinas. Así el plato queda no sólo delicioso sino que además resulta fácil de hacer.

Ingredientes para 6 raciones

350 g de carne de cerdo en finas tiras de unos 0,6 cm
2 cucharaditas de fécula de arruruz
1 cucharada de agua
3 tazas de berza de Saboya o de col china,
finamente troceada
3 tallos de apio cortados en tiras finas de unos 10 cm
1 pimiento rojo cortado finamente
1 zanahoria grande cortada en tiras
2 cucharadas de aceite vegetal
8 cebolletas cortadas en tiras de 2,5 cm.
6 champiñones grandes finamente cortados
6 obleas de arroz
Cebolletas para la guarnición

Ingredientes para la marinada

1/3 de taza de salsa hoisin
3 cucharadas de salsa tamari
1 cucharada de jengibre fresco rallado
1 cucharada de vinagre de sidra
2 dientes de ajo grandes, prensados
1/8 de cucharadita de chili en copos

1. Prepara la marinada mezclando todos los ingredientes en un bol de tamaño mediano. Añade después la carne cerdo y mezcla bien con la marinada con la ayuda de una cuchara. Cúbrela y guárdala en la nevera durante 1 hora.

2. En un bol pequeño mezcla la fécula de arruruz y el agua hasta que quede bien disuelta y reserva.

3. Llena una cazuela de 4,5 litros con agua y lleva a ebullición. Añade al agua hirviendo el repollo, el apio, el pimiento mo-

rrón, y la zanahoria y blanquéalo todo durante unos 3 minutos. Escurre las verduras y deja a un lado.

4. En un wok de unos 36 cm, calienta el aceite a fuego vivo, añade la carne de cerdo, las cebolletas y los champiñones. Fríe todo de 3 a 4 minutos o hasta que el cerdo quede bien hecho.

5. Añade al wok las verduras blanqueadas y rehógalas durante unos 3 minutos más.

6. Echa la fécula de arruruz en el wok y deja que se haga todo unos 2 minutos o hasta que espese un poco, sin dejar de remover. Retira del fuego.

7. Llena una bandeja de unos 23 cm con agua caliente. Introduce en ella las obleas de arroz, de una en una, durante unos 5 segundos o hasta que queden blandas. Quita el exceso de agua y colócalas en una superficie plana.

8. Coloca 3 cucharadas de la mezcla de carne y verduras en el medio de cada oblea y enróllalas como una crepe. Coloca el rollito en un plato ligeramente cubierto con aceite de sésamo. Ve repitiendo la operación hasta acabar el relleno.

9. Adorna con las cebolletas y sirve.

CONSEJO ÚTIL

Si guardas la carne de cerdo en el congelador, córtala mientras está aún congelada, de este modo te será más fácil hacer finas tajadas de ella.

HAMBURGUESAS DE FALAFEL CON PASTA DE TAHINA

Este plato, sabroso y adecuado para una comida ligera, es una manera deliciosa de disfrutar del falafel y aporta a la dieta una buena ración de verduras. El tomate debe estar finamente troceado, ya que es algo acidificante.

Ingredientes para 5 hamburguesas
1 taza de mezcla para hacer falafel
1/2 taza de calabacín triturado
1/2 taza de agua fría
1/2 taza de cucharadas de aceite de oliva suave
5 panecillos de cereales
1 tomate grande en rodajas finas
1 cebolla roja cortada en rodajas
1 aguacate grande cortado en lonchas finas
Brotes de alfalfa

Ingredientes para la pasta tahina
1/4 de taza de mayonesa (sin soja, huevo ni gluten)
o mayonesa de almendras (página 159)
1/4 de taza de tahina
2 cucharadas de zumo de limón recién exprimido

1. Cubre una bandeja para hornear, de 23×33 cm, con papel parafinado y déjala preparada.
2. En un bol de tamaño mediano, echa el preparado para hacer falafel, el calabacín y el agua. Mézclalo todo bien con una cuchara y déjalo reposar unos 10 minutos, mientras preparas la salsa de tahina.
3. Para preparar la salsa de tahina, mezcla la mayonesa, el tahina y el zumo de limón en un bol pequeño, remuévelo todo bien con una cuchara y déjalo aparte.
4. En una sartén de unos 20 cm, calienta 2 cucharadas de aceite a fuego medio. Con las manos da forma de hamburguesa a la

masa que has hecho con el preparado de falafel, échala en la sartén y aplánala con una espátula. Fríela de 3 a 4 minutos por cada lado o hasta que quede dorada. A medida que las vayas friendo, las vas colocando en una bandeja hasta que tengas las 5 hamburguesas preparadas.

5. Coloca cada hamburguesa de falafel en un panecillo y complétalas con rodajas de tomate, de cebolla y de aguacate, y añádele también unos cuantos brotes o germinados de verduras. Por encima échale una cucharada de la salsa de tahina, y ¡listo para comer!

«El mundo está tan divinamente organizado que cada uno de nosotros, en nuestro propio tiempo y lugar, está en equilibrio con todo lo demás».

–Johann Wolfgang von Goethe, escritor

ROLLITOS DE BERENJENA AL HORNO

Si nunca has hecho rollitos de berenjena, ahora te enfrentarás a un reto nuevo. Acompaña este plato con un surtido de hojas verdes para ensalada aderezado con un aliño de semillas de amapolas y limón (página 158) y el resultado será una deliciosa cena.

Ingredientes para 6 raciones

2 berenjenas
1 litro de agua
2 cucharaditas de sal marina
1 cucharada de aceite de oliva suave
250 g de carne de cordero picada
2 cebollas de tamaño mediano, muy troceadas
1 patata grande rallada
1 zanahoria grande rallada
3 dientes de ajo prensados
1/2 taza salsa de tomate
1/2 cucharadita de nuez moscada molida
1/2 cucharadita de orégano en polvo
6 cucharadas de queso feta desmenuzado
Pimienta negra recién molida al gusto
Salsa bechamel (página 194), o una lata de 800 g
de tomate troceado, escurrido

1. Corta las berenjenas a lo largo y luego en unas lonchas largas de unos 0,6 cm de grueso, descarta los extremos pues tienes que conseguir que las lonchas sean lo más iguales posible.
2. En una cazuela de unos 4,5 litros, echa el agua y la sal. Ponla a hervir a fuego vivo y añade las berenjenas, cuece unos 4 minutos o hasta que queden blandas. Sácalas y déjalas escurrir sobre papel de cocina.
3. Precalienta el horno a 180 °C. Engrasa ligeramente con aceite vegetal una fuente para horno de unos 2,5 litros y resérvala.
4. En una sartén de unos 30 cm, calienta el aceite a fuego medio. Cuando esté caliente echa la carne de cordero, las cebollas, la

patata, la zanahoria y el ajo. Guísalo todo, removiendo de vez en cuando, durante unos 10 minutos, o hasta que la carne esté guisada y las verduras, tiernas. Quita el aceite que sobra.

5. Añade a la sartén la salsa de tomate, la nuez moscada y el orégano y mézclalo todo bien. Retira del fuego.

6. Coloca las lonchas de berenjena sobre una superficie plana y coloca encima de cada una la carne hecha, una cucharada de queso feta, y pimiento al gusto. Ve enrollando todas las lonchas con el relleno en su interior y colócalas en la fuente del horno preparada con la unión hacia abajo.

7. Cubre los rollitos con la bechamel y hornéalos tapados durante unos 30 minutos. Destápalos y hornéalos unos 10 minutos más, o hasta que queden dorados, y sirve.

CONSEJO ÚTIL

Este plato puede prepararse también colocando las berenjenas en capas, para ello córtalas en rodajas redondas de unos 1,25 cm de grosor. Después, échales sal marina, déjalas unos 30 minutos en un colador para que suelten agua, escurre y sécalas. Coloca capas de berenjenas y de carne, cúbrelo todo con bechamel o con tomates y hornéalas directamente.

Pollo asado con salsa de mango

El zumo de lima, el mango y las hojas de cilantro de este plato te harán sentir como si hubieras viajado al sur, aunque sin haber tenido que dejar la comodidad de tu comedor.

Ingredientes para 4 raciones

1 diente de ajo prensado
El zumo de 1 lima
1 cucharada de aceite de oliva
1/4 cucharadita de sal marina
4 pechugas de pollo sin piel y sin hueso (de unos 85 g cada uno)
1/2 cucharada de aceite vegetal
2 tazas de surtido de hojas verdes para ensalada

Ingredientes para la salsa de mango

1 mango, pelado y cortado en dados
1/2 taza de hojas de cilantro fresco troceadas
1/2 taza de pepinos troceados
1/2 taza de pimiento rojo y verde
1/2 taza de tomate en dados
1/2 taza de cebolla roja troceada
2 cucharadas de pimiento jalapeño troceado
2 cucharadas de sirope de arroz
El zumo de 1 lima
1 cucharada de aceite de oliva suave
2 cucharaditas de vinagre de sidra
1/4 cucharadita de sal marina

1. En un bol de tamaño mediano, echa el ajo, el zumo de lima, el aceite y la sal y mézclalo todo bien con una cuchara.
2. Añade el pollo al bol y marínalo bien con la mezcla. Tápalo y guárdalo 1 hora en la nevera.
3. En un bol grande mezcla bien todos los ingredientes de la salsa de mango, tápalo y guárdalo también en la nevera hasta el momento de usarlo.

4. Saca el pollo de la marinada y descarta ésta. En una sartén de unos 30 cm, calienta el aceite a fuego medio. Añade el pollo y ásalo unos 5 minutos por cada lado, o hasta que quede bien hecho.
5. Coloca las hojas de ensalada en los platos individuales, pon encima el pollo y un poco de la salsa de mango y acompáñalo con arroz basmati.

«Mi sueño es un arte lleno de equilibrio».

–Henri Matisse, artista

PASTEL DE CARNE

Este plato es muy reconfortante en un día de frío invierno. Puedes usar patatas cocidas que te hayan sobrado, en vez de cocer una tanda nueva, estará igual de rico y te habrás ahorrado algo de tiempo.

Ingredientes para 8 raciones

3 patatas blancas grandes, peladas y cortadas
en trozos de unos 2,5 cm
1/3 de taza de leche de almendras sin endulzar
3 cucharadas de mantequilla clarificada
1/4 de cucharadita de sal marina
Pimienta negra recién molida al gusto
1 cucharada de aceite vegetal
350 g de carne picada de cordero, de ternera, o de pollo
1 cebolla de tamaño mediano, bien troceada
1 diente de ajo prensado
1 lata de 115 g de champiñones escurridos y fileteados
1/2 taza de zanahorias cortadas en dados
1/2 taza de maíz congelado
1/2 taza de judías verdes congeladas y troceadas
1 taza de caldo vegetal de cultivo biológico sin levadura
1/4 de taza de harina refinada de espelta
2 cucharadas de salsa tamari
1 cucharadita de pimentón

1. En una cazuela de unos 4,5 litros, cubre las patatas con agua, y cuécelas a fuego medio durante unos 20 minutos, o hasta que estén tiernas. Retíralas del fuego y escúrrelas. Añádeles leche, mantequilla, sal y pimiento y aplástalas bien con un tenedor.

2. Vuelve a colocar la cazuela sobre el fuego y cuece de nuevo a fuego lento, removiendo de vez en cuanto, mientras preparas la carne picada.

3. En una sartén de unos 4,5 litros, calienta el aceite a fuego medio-alto, añade la carne picada, la cebolla y el ajo y fríela

durante unos 10 minutos, o hasta que la carne esté casi hecha, removiéndola de vez en cuando.

4. Añade a la sartén los champiñones, las zanahorias, el maíz y las judías verdes y deja que se haga todo de 5 a 7 minutos, o hasta que las zanahorias estén tiernas y la carne hecha. Retira la sartén del fuego.

5. Precalienta el horno a 175 °C.

6. En una cazuela de 1,5 litros, echa el caldo, la harina y la salsa tamari. Mézclalo todo bien y mantenlo a fuego lento durante unos 10 minutos o hasta que quede una salsa espesa.

7. Engrasa ligeramente una fuente para horno de unos 4 litros y echa en ella la mezcla de carne y verduras. Cubre la carne con las patatas trinchadas y espolvoréalo todo con pimentón.

8. Hornea sin tapar durante 30 o 35 minutos, o hasta que quede ligeramente tostado y sirve.

GUISO DE TERNERA CON BONIATOS AL ESTILO MARROQUÍ

En un día de lluvia, un guiso caliente es algo maravilloso. Esta receta es muy suculenta y tiene mucho éxito.

Ingredientes para 6 raciones

450 g de carne de ternera cortada en dados de unos 2,5 cm
1 cucharadita de molido comino
1 cucharadita de canela molida
1 cucharadita de cúrcuma molida
1/2 taza de harina refinada de espelta
1 cucharada de aceite de oliva suave o de mantequilla clarificada
4 dientes de ajo prensados
2 cebollas de tamaño mediano cortadas en trozos grandes
3 tazas de caldo vegetal de cultivo biológico sin levadura
1 taza de agua
1/2 cucharadita de sal marina
1/4 cucharadita de pimienta negra recién molida
1/4 cucharadita de nuez moscada molida
3 tazas de boniatos pelados y cortados en dados
(unas 5 piezas medianas)
1/2 taza de albaricoques secos cortados en trozos grandes
1/2 taza de uvas pasas negras
1/4 de taza de cáscara de naranja finamente cortada en tiras
(unas 2 naranjas de tamaño mediano)
2 zanahorias de tamaño mediano, cortadas en trozos grandes
Hojas de cilantro o de perejil fresco para adornar

1. Precalienta el horno a 180 °C.
2. Adereza la carne con comino, canela, y cúrcuma.
3. Mezcla en un bol pequeño la harina y la carne, luego elimina el exceso de harina y reserva la carne en un bol.
4. En una olla o puchero de unos 4 litros, con tapa y apta para el horno, calienta el aceite a fuego medio, añade la ternera y rehógala, durante unos 5 minutos, removiéndola de vez en cuando, o hasta que se dore.

5. Reduce el fuego y añade el ajo y las cebollas, rehógalo unos 3 minutos más, o hasta que las cebollas queden trasparentes, removiendo de vez en cuando.
6. Añade ahora el caldo, el agua, la sal, la pimienta, la nuez moscada y la harina reservada y cuécelo todo unos 3 minutos.
7. Echa en la olla las patatas, los albaricoques, las uvas pasas, la ralladura de naranja y las zanahorias. Tápalo, métrelo en el horno y déjalo a fuego medio, removiendo de vez en cuando, durante 1 hora, o hasta que las zanahorias y las patatas estén cocidas.
8. Decora la carne con unas hojas de cilantro y sírvela sobre un lecho de arroz basmati o de quinoa.

PASTELITOS DE PESCADO

¿Por qué comprar pastel de pescado congelado cuando es un plato tan fácil de hacer en casa? Esta receta es, además de fácil de preparar, mucho mejor que cualquier plato que puedas encontrar en la zona de congelados del supermercado.

Ingredientes para 4 raciones

3 patatas de tamaño mediano, peladas
y cortadas en cuartos
120 g de salmón cocido
1 cebolla pequeña, rallada
2 ramas de apio, muy troceadas
1/4 de taza de perejil fresco bien picado
1/2 cucharadita de sal marina
1/4 de cucharadita de ajedrea
1/4 de cucharadita de pimienta negra recién molida
1 taza de pan rallado de espelta o de cereales
1/3 de taza de sucedáneo de huevo
1/3 de taza de harina refinada de espelta
1 cucharada de mantequilla clarificada
2 cucharadas de aceite de oliva suave

1. En una cazuela de 4,5 litros, cubre las patatas con agua y ponlas a hervir a fuego medio-alto durante unos 20 minutos, o hasta que estén tiernas. Retira del fuego, escurre las patatas y tritúralas hasta hacer puré de ellas y deja que se enfríen.

2. Añade a las patatas el salmón, la cebolla, el apio, el perejil, la sal, la ajedrea y la pimienta y mézclalo todo bien.

3. Humedécete las manos para evitar que se te pegue la masa a los dedos y da forma a unos 8 pastelitos. Colócalos en una fuente y refrigéralos durante unos 30 minutos.

4. Mezcla el pan rallado, el sucedáneo de huevo y la harina en un bol y remuévelo todo muy bien.

5. Reboza cada pastelito con la mezcla y vuelve a colocarlos en la fuente.

6. Calienta la mantequilla a fuego medio, en una sartén de 30 cm, y fríe los pastelitos de dos en dos, o tres en tres, unos 5 o 7 minutos por cada lado, o bien hasta que se doren. Repite el proceso hasta tener todos hechos y sírvelos con una ensalada de repollo, zanahoria y cebolla como guarnición (página 175).

«El equilibrio es la cosa más importante, casi tanto como el amor».

—John Wooden, entrenador de baloncesto

PESCADO A LA PARRILLA CON PESTO DE CILANTRO

Esta receta casa muy bien con unas verduras asadas al estilo indio.

Ingredientes para 4 raciones

250 g de salmón, fletán o tilapia
1 cucharada de aceite de oliva virgen extra
1/4 cucharadita de sal marina
4 medias rodajas de lima

Ingredientes para el pesto con hojas de cilantro

1/2 taza de pipas de calabaza crudas
1 taza de hojas de cilantro fresco
1/2 taza de perejil picado
1/4 de taza de agua
2 cucharadas de aceite de oliva virgen extra
2 cucharadas de zumo de lima recién exprimido
1 diente de ajo prensado
1/4 de cucharadita de sal marina
1 pizca de guindilla en polvo

1. Mientras preparas el pesto, enciende la parrilla del horno.
2. Para hacer el pesto, echa las pipas de calabaza en una sartén de unos 20 cm y tuéstalas a fuego medio durante unos 3 minutos o hasta que queden doradas. Retíralas y pásalas a un robot de cocina.
3. En el robot o batidora, echa las hojas de cilantro, el perejil, el agua, el aceite, el zumo de lima, el ajo y la guindilla en polvo. Si queda demasiado espeso, añádele un poco más de agua. Reserva.
4. Corta el pescado en 4 raciones iguales y embadúrnalo ligeramente de aceite. Échale sal y colócalo en en la parrilla del horno, en una fuente de unos 23×33 cm. Deja que se haga unos 5 minutos por cada lado o hasta que quede bien asado.

5. Pon las raciones de pescado en 4 platos individuales y encima de cada ración pon un poco de pesto. Adórnalos con una rodaja de lima y sirve con una guarnición de verduras.

LLUVIA ÁCIDA: EL EQUILIBRIO DE pH EN EL MEDIOAMBIENTE

El término lluvia ácida se refiere a cualquier forma de precipitación que se haya acidificado debido a los agentes químicos polucionantes contenidos en el aire, especialmente emisiones de dióxido de azufre proveniente de fábricas y centrales eléctricas, y de óxidos de nitrógeno de la industria agropecuaria. Si bien se han dado pasos para reducir las emisiones de dióxido de azufre de las plantas eléctricas y de carbón, no se ha hecho gran cosa por solucionar el problema del dióxido de azufre que ocasiona la agricultura moderna.

Lamentablemente, la lluvia ácida acidifica los lagos, los arroyos y los pantanos y marismas, contaminando numerosas especies acuáticas y afectando toda la cadena trófica que los rodea. Por otra parte, esta lluvia filtra nutrientes y libera en el suelo minerales tóxicos como el aluminio, lo que hace que los alimentos que tomamos no sólo sean menos nutritivos sino también dañinos. Del mismo modo que nuestro cuerpo no puede desarrollarse sin un equilibrio del pH, tampoco puede hacerlo el planeta. Depende de todos nosotros corregir esos desequilibrios químicos en nuestro medioambiente.

ALBÓNDIGAS CON CURRY

Cuando hago albóndigas, suelo hacer muchas. Puedes optar por reducir a la mitad los ingredientes de esta receta o bien hacerla entera y congelar luego lo que te sobre.

Ingredientes para 10 raciones (3 albóndigas por ración)

1 taza de anacardos sin sal
4 cebollas, de tamaño mediano, cortadas en cuartos
4 dientes de ajo prensados
1 cucharada de jengibre fresco rallado
1 cucharada de granos de cilantro molidos
2 cucharaditas de comino molido
2 cucharaditas de pimentón
1 cucharadita de sal marina
1 cucharadita de canela molida
1/2 cucharadita de nuez moscada molida
1/2 cucharadita de cardamomo negro molido
1/2 cucharadita de cúrcuma molida
1/2 cucharadita de pimienta negra recién molida
1/4 cucharadita de clavo molido
1/4 cucharadita de cayena (opcional)
900 g de carne picada de cordero o de pollo
2 cucharadas de mantequilla clarificada
1 lata de 400 g de leche de coco
1 taza de agua
1 cucharada de zumo de lima o de de limón recién exprimido
Hojas de cilantro frescas para decorar el plato

---

1. En un bol pequeño, cubre los frutos secos con agua caliente y déjalos en remojo 1 hora. Escúrrelos y pásalos por un robot de cocina hasta conseguir una pasta blanda. Luego, añádele cebollas, ajo, y jengibre. Pásalo de nuevo por el robot multiusos hasta que quede todo bien ligado.

2. Añade ahora al robot los granos de cilantro, el comino, el pimentón, la sal, la canela, la nuez moscada, el cardamomo, la cúrcuma, la pimienta negra, los clavos y la cayena y vuélvelo a mezclar todo muy bien durante unos cuantos segundos.

3. Cubre dos bandejas de horno, de unos 23×33 cm, con papel encerado y resérvalas.

4. En un bol grande, mezcla la carne y una tercera parte de la mezcla que hemos hecho en el robot. Remuévelo muy bien con una cuchara.

5. Humedécete las manos con agua para que no se te pegue la masa. Forma albóndigas de unos 4 cm de diámetro, aproximadamente, y haz unas 15 piezas. Colócalas en las bandejas del horno dejando una separación entre ellas de unos 5 cm.

6. Calienta la mantequilla clarificada, a fuego medio-bajo, en una cazuela de unos 4,5 litros. Añádele el resto de la mezcla de cebolla y el resto de ingredientes y guísalo de 3 a 5 minutos, removiendo de vez en cuando. Añade la leche, el agua, y el zumo de lima y mézclalo todo muy bien.

7. Coloca con cuidado las albóndigas en la cazuela, tápala y ponla al fuego durante unos 5 minutos, sin remover. Reduce el fuego y deja que se haga unos 30 minutos más, sin remover, o hasta que las albóndigas estén bien hechas.

8. Adorna el plato con unas hojas de cilantro y sírvelo sobre un lecho de arroz basmati y una guarnición de verduras.

CALABACINES RELLENOS

Este plato vegetariano simula las deliciosas salchichas de pavo tan magníficamente que hará que tus amigos que comen carne se desdigan rápidamente.

Ingredientes para 4 raciones

2 calabacines grandes o 4 pequeños
2 cucharaditas de aceite de oliva suave
2 dientes de ajo prensados
2 salchichas vegetales, de tofu,
por ejemplo, bien troceadas
1/2 cebolla, bien troceada
1/2 pimiento rojo bien troceado
1 taza de arroz basmati cocido
1 cucharadita de orégano en polvo
1 cucharadita de albahaca en polvo
1/2 cucharadita de semillas de hinojo
1/2 taza de queso feta desmenuzado
1/4 de taza de pipas de calabaza crudas molidas
Sal marina al gusto
Pimienta negra recién molida al gusto
1/2 taza de salsa de tomate o salsa de espaguetis
1/2 taza de caldo vegetal

1. Precalienta el horno a 190 °C. Engrasa ligeramente un recipiente de unos 23×33 cm con un poco de aceite de oliva y resérvalo.
2. Corta las puntas de los calabacines y luego córtalos en dos mitades, a lo largo. Con la ayuda de una cuchara, quítales la pulpa y las semillas, dejando un grosor de unos 1,25 cm de pulpa y piel.
3. Calienta el aceite en una sartén de unos 25 cm a fuego medio-bajo. Añade el ajo, las salchichas vegetales, la cebolla y la pimienta. Guísalo, removiendo de vez en cuando, durante unos 5 minutos, o hasta que la cebolla quede trasparente.

4. Pon las salchichas en un bol grande y añádeles el arroz, el orégano, la albahaca, y el hinojo. Mézclalo todo bien con una cuchara e incorpora el queso feta. Sazona con sal y pimienta.

5. Rellena las mitades de los calabacines con el relleno de las salchichas tanto como quieras.

6. Coloca los calabacines rellenos en el recipiente engrasado, muy juntos para que queden derechos.

7. En vaso mezclador, echa la salsa de tomate y el caldo. Mézclalo bien con una cuchara y viértelo en el recipiente del horno de modo que cubra el fondo.

8. Cubre la bandeja del horno con papel de aluminio y hornea los calabacines durante unos 50 minutos. Retira el papel de plata y déjalo en el horno unos 10 o 15 minutos más, o hasta que los calabacines estén tiernos pero no demasiado y el relleno, ligeramente tostado por arriba. Sirve con un surtido de hojas verdes para ensalada.

CONSEJO ÚTIL

Reserva la pulpa de los calabacines para hacer una sopa vegetal.

CARNE DE TERNERA CON ANACARDOS Y MANDARINAS

Este sabroso plato contiene poca carne y mucha verdura, y está tan rico que nadie te va a decir «¿Pero dónde está la ternera?».

Ingredientes para 6 raciones

2 piezas de brécol de tamaño mediano
1/2 taza de anacardos
2 cucharadas de aceite vegetal, por separado
350 g de carne de ternera cortada en tiras gruesas, de unos 0,6 cm
1/2 taza de caldo vegetal de cultivo biológico, sin levadura
1 taza de tirabeques, cortados y sin hilos (unos 350 g)
1 pimiento rojo cortado en tiras de 2,5 cm
2 latas (de unos 300 g cada una) de gajos de mandarina
sin endulzar, escurridos
8 cebolletas, bien trinchadas
1 cucharadita de semillas de sésamo crudo

Ingredientes para la glasa

1 cucharada de agua fría
2 cucharaditas de harina o sémola de arruruz
1/3 de taza de zumo de naranja
3 cucharadas de salsa tamari
1 cucharada de azúcar de caña natural
2 cucharaditas de jengibre fresco, pelado y rallado
2 dientes de ajo, prensados
1/8 de cucharadita de chili triturado

1. Para preparar la glasa, mezcla en un bol pequeño el agua y la harina de arruruz. Mézclalo bien con el zumo de naranja, la salsa tamari, el azúcar, el jengibre, el ajo y los chili troceados. Reserva.
2. Quita el tallo grueso del brécol y córtalo en cogollos. Pela y corta en trozos pequeños los tallos restantes. Reserva.
3. En una sartén o en un wok de unos 30 cm, fríe los anacardos con 1 cucharada de aceite a fuego medio-alto durante 1 o 2 mi-

nutos, o hasta que estén un poco tostados. Guárdalos en un bol pequeño.

4. Añade al wok la carne de ternera y la cucharada que queda de aceite, y fríela durante unos 2 minutos, o hasta que quede dorada. Reserva.

5. Echa en el wok el caldo vegetal y déjalo hervir a fuego alto. Añade el brécol, los guisantes y el pimiento rojo y déjalo al fuego unos 4 minutos, o hasta que el brécol quede tierno.

6. Vuelve a echar la carne en el wok y añádele la glasa. Reduce el fuego y deja que cueza unos 2 minutos o hasta que espese. Añade las mandarinas.

7. Pasa la carne a una fuente de servir y échale por encima los anacardos, las cebolletas y las semillas de sésamo.

PIZZA DE ALCACHOFA

Ésta es una variante mucho más alcalina que la pizza normal, la cual a menudo está elaborada con acidificantes como harina refinada, carnes y quesos. La base de la pizza lleva sin embargo levadura, pero si quieres una levadura saludable utiliza en su lugar la de la receta del pan de hogaza rústico (páginas 92-93).

Ingredientes para 2 pizzas de unos 28 cm de diámetro

Base

1 paquete de levadura seca viva
1,4 tazas de agua caliente
4 tazas de harina refinada de espelta, por separado
1/2 cucharadita de sal marina

Relleno

1 cucharada de aceite de oliva
2 dientes de ajo, fileteados
2 tazas de corazones de alcachofa
1/2 cucharadita de semillas de hinojo
1/2 cucharadita de orégano en polvo
1/2 cucharadita de albahaca en polvo
1 taza y 1/2 de salsa de tomate
2 calabacines de tamaño mediano en rodajas
Mozzarella o queso blanco rallado, al gusto

1. En un bol grande, echa la levadura en el agua y deja que se disuelva.
2. Añade al agua y la levadura la mitad de la harina con un poco de sal y mézclala bien en un bol, o bien una un robot de cocina hasta formar una masa.
3. Añade la harina restante y vuelve a amasar todo junto. Coloca la masa sobre una superficie ligeramente enharinada.
4. Trabaja la masa durante unos 10 minutos, o hasta que esté blanda y elástica.
5. Engrasa ligeramente, con aceite vegetal, un bol de tamaño mediano y coloca en él la masa. Tápalo y déjalo en un sitio

templado durante unos 30 minutos, o hasta que se duplique el tamaño de la masa.

6. Precalienta el horno a 230 °C y engrasa ligeramente dos moldes para pizza de unos 30 cm. Reserva y empieza a preparar el relleno.

7. Para preparar el relleno, calienta el aceite a fuego medio en una sartén de unos 20 cm. Añade el ajo y los corazones de alcachofa. Fríelo unos 3 minutos. Añade después del hinojo, el orégano, y la albahaca. Remuévelo todo sobre el fuego unos 2 minutos. Retíralo.

8. Espolvorea una superficie plana con un poco de harina. Trabaja suavemente la masa para eliminar posibles burbujas y divídela en dos mitades. Sobre la superficie enharinada, extiende la masa con un rodillo hasta formar un círculo de unos 30 centímetros aproximadamente, dejando un borde alrededor. Pasa la masa a uno de los dos moldes que tienes preparados para hornear las pizzas.

9. Extiende sobre cada base la mitad de la salsa de tomate y añade encima, bien repartido y a partes iguales, el relleno que has preparado anteriormente: las alcachofas, los calabacines y el queso. Hornea las pizzas de 20 a 25 minutos, o hasta que el relleno quede ligeramente tostado y la masa crujiente. Déjalas enfriar durante unos 5 minutos y sírvelas. Puedes cambiar el relleno optando por cualquier otra receta de pizza del libro.

OTRAS ESTUPENDAS PIZZAS

*Existen combinaciones infinitas en cuanto a ingredientes alca-
linos para añadir a las pizzas se refiere. Dado que las verduras
son tan alcalinizantes, puedes añadir tantas como gustes. Aquí
tienes unas cuantas sugerencias para que elabores dos pizzas
de unos 28 cm de base.*

Pizza con patatas y ajos

En un bol pequeño, mezcla 6 dientes de ajo en láminas con dos
con 3 cucharadas de aceite de oliva. Una vez bien mezclado,
espárcelo bien por las dos bases de las pizzas. Después coloca
una capa de patatas en rodajas muy finas también en las dos
bases. En una sartén de unos 20 cm calienta una cucharada de
aceite de oliva a fuego medio y sofríe 2 cebollas finamente cortadas durante unos 10 minutos, o hasta que queden caramelizadas. Coloca también las cebollas sobre ambas bases, y luego
añade un poco de romero en polvo, mozzarella o queso blanco
rallado, y un chorrito de aceite. Hornea según las indicaciones.

Pizza con brécol y almejas

En una cazuela de unos 4 o 5 litros, cuece al vapor una pieza
pequeña de brécol y 2 pimientos rojos cortados en dados. En
un bol grande, mezcla las verduras cocidas al vapor con salsa
blanca sin lácteos (página 193), una lata de unos 150 g de almejas escurridas, 3 dientes de ajo fileteados y 1/2 cucharadita de
orégano en polvo. Mézclalo todo bien con una cuchara y extién-
delo sobre las dos bases para pizzas. Echa por encima queso
rallado al gusto y hornéalas siguiendo las indicaciones.

Pizza de espinacas con queso feta

En una sartén de unos 25 cm, calienta 1 cucharada de aceite de
oliva a fuego medio-bajo. Añade 2 tazas de hojas de espinaca y
3 dientes de ajo fileteados y guísalo todo durante unos 5 minutos, o hasta que las espinacas disminuyan de tamaño. Esparce

la mezcla sobre las bases de las pizzas y añádeles queso feta, tomates secos cortados en juliana y un poco de orégano en polvo. Hornéalas siguiendo las indicaciones.

Consejo útil

Yo suelo colocar la masa sobre una hoja grande de papel parafinado y luego la meto en el horno precalentado. La forma no me queda tan perfecta como en un molde, pero así nunca se me pega.

CHILI

Un libro de cocina no es tal si no tiene una buena receta de chi-li. Éste que muestro aquí tiene tantos condimentos que a veces reto a mis invitados a que adivinen todos ellos.

Ingredientes para 10 raciones

2 cucharadas de mantequilla clarificada
4 cebollas de tamaño mediano, cortadas en trozos grandes
3 pimientos verdes cortados en trozos grandes
1 taza de champiñones cortados en cuartos
4 dientes de ajo prensados
1/4 de taza de guindilla en polvo
1 cucharadita de molido comino
1 cucharadita de canela molida
1 cucharadita de sal marina
1 cucharadita de pimienta negra recién molida
1/8 de cucharadita de clavo molido
1/8 de cucharadita de pimienta de Jamaica molida
2 latas (de unos 500 g cada una) de tomates troceados y escurridos
2 latas (de unos 400 g cada una) de judías negras escurridas
2 cucharadas de azúcar de caña integral
1 cucharada de vinagre de sidra
1 cucharadita de salsa picante
1/4 cucharadita de extracto de humo

1. En una cazuela de unos 4,5 litros, calienta la mantequilla a fuego medio. Añade las cebollas, los pimientos y los champiñones. Tápalo y déjalo al fuego, removiendo de vez en cuando, de 5 a 7 minutos, o hasta que las cebollas queden trasparentes.

2. Añade los ajos. Tapa y déjalo 1 minuto más.

3. Añade ahora a la cazuela la guindilla en polvo, el comino, la canela, la sal, la pimienta y los clavos, destapado cuécelo unos 2 o 3 minutos, removiendo de vez en cuando.

4. Añade los tomates, las judías, el azúcar, el vinagre, la salsa picante y el extracto de humo. Reduce el fuego, tápalo parcialmente, y déjalo unos 30 minutos, removiendo de vez en cuando.

5. Retira del fuego y deja que repose unos 15 minutos antes de servir.

12

POSTRES

Aunque el pan de cereales integrales es mucho menos acidificante que el pan blanco normal, no es el más indicado para hacer pasteles o postres. Para resolver esta cuestión, yo suelo utilizar harina refinada de espelta, la cual es un paso intermedio entre la harina integral sin refinar –muy buena para un pH equilibrado– y la enormemente acidificante harina refinada de trigo. La harina refinada de espelta no produce los típicos postres o panes blancos, pero sí un sabor maravilloso y es la alternativa menos acidificante que he encontrado para sustituir a la harina de trigo refinada.

Sin embargo, lo más importante que hay que recordar es que los postres –incluso las versiones más alcalinas– suelen contener grasas y azúcar, por eso nos gustan tanto. Y aunque los dulces que a continuación vamos a ver son menos alcalinos que los que podemos encontrar en las recetas convencionales, no significa que dejes de lado el autocontrol, el ingrediente más importante para tener una buen salud y un buen nivel de pH. Siempre hay que tener en cuenta el tamaño de las raciones, sobre todo si uno está intentando perder peso.

TARTA DE FRUTAS CON BASE DE ALMENDRAS

Esta tarta es ideal para una ocasión especial. El esfuerzo de su preparación queda compensado en cada bocado.

Ingredientes para una tarta de 23 cm

Base

1 taza y 1/4 de almendras peladas y molidas
o bien de harina de almendra
3 cucharadas de harina refinada de espelta
3 cucharadas de azúcar de caña integral
1/4 cucharadita de sal marina
3 cucharadas de mantequilla clarificada derretida

Relleno

1/4 de taza de harina refinada de espelta
1 taza de leche de almendras con sabor a vainilla, sin endulzar
1/4 de taza de azúcar de caña integral
1 pizca de sal marina
2 cucharadas de zumo de limón recién exprimido
2 cucharaditas de ralladura de cáscara de limón

Fruta para cubrir la tarta

1/2 taza de kiwis pelados y cortados en láminas finas
1/2 taza de frambuesas frescas
1/2 taza de moras frescas
1/2 taza de fresas cortadas en láminas finas
1/2 taza de mandarinas, frescas o de lata, en gajos pequeños
o en láminas finas

Glasa

1/4 de taza de sirope de arroz
El zumo de 1 lima
2 cucharadas de agua
1 cucharada de harina de arruruz

1. Precalienta el horno a 175 °C. Engrasa ligeramente con mantequilla clarificada un molde plano con los bordes ondulados (a ser posible con el fondo desmoldable)

2. Si vas a utilizar almendras molidas en vez de harina de almendras, pásalas antes por un robot de cocina durante 1 minuto, o hasta que queden finamente molidas.

3. En un bol pequeño, mezcla las almendras molidas, la harina, el azúcar y la sal. Añade luego la mantequilla y mézclalo todo bien con una cuchara. Extiende la mezcla en el molde engrasado y presiónala suavemente contra el fondo con las yemas de los dedos.

4. Hornea la base durante 10 minutos, o hasta que empiece a dorarse, comprobando hacia los 8 minutos que no se queme. Mientras preparas el relleno de la tarta, guarda la base en la nevera.

5. Mezcla la harina del relleno con 1/2 taza de leche en un bol pequeño y bátela bien para que no queden grumos. Reserva.

6. En una cazuela de 1,5 litros, mezcla la otra 1/2 taza de leche, el azúcar y la sal y ponlo a fuego medio. Bátelo todo hasta que quede bien mezclado.

7. Añade a la cazuela la harina y la leche del bol y remueve bien. Déjalo hervir, sin dejar de remover, durante unos 5 minutos, o hasta que espese.

8. Ahora echa en la cazuela el zumo y la ralladura del limón, sin dejar de remover, y deja que hierva 1 minuto más. Retíralo del fuego y échalo en un bol de cristal. Tápalo con papel encerado y presiona éste con cuidado sobre la preparación para evitar que se forme una película. Guárdalo en la nevera unos 20 minutos, o hasta que esté completamente frío.

9. Echa el relleno sobre la base y pon por encima la fruta que quieras, de mayor a menor, en círculos concéntricos. Intenta que la masa quede toda bien cubierta por la fruta. Guárdala en la nevera mientras preparas la glasa.

10. En una cazuela de 1,5 litros, mezcla el sirope de arroz con el zumo de lima y ponlo a hervir a fuego alto, removiendo a menudo.

11. Mezcla el agua y la harina de arruruz en un bol pequeño y muévelo bien con una cuchara para que quede bien ligada la mezcla.

12. Añade la harina de arruruz a la cazuela y reduce el fuego. Cuécelo durante unos 5 minutos, sin dejar de remover, hasta que quede ligeramente espeso. Retira del fuego y déjalo enfriar. Una vez frío, viértelo sobre la fruta.

13. Deja la tarta en la nevera durante 1 hora y luego sírvela.

CRUJIENTE DE MANZANA Y COPOS DE AVENA

No hay nada tan hogareño como el aroma de un pastel de manzana cociéndose en el horno. Y no habrá nadie que pueda adivinar que esta variante contiene más ingredientes alcalinos y menos grasa de lo normal, y tú estarás más que satisfecho de ofrecer a tu familia este saludable postre.

Ingredientes para 6 raciones

4 tazas de manzanas, peladas y cortadas en láminas finas
(unas 3 manzanas grandes)
2 cucharadas de azúcar de caña integral
2 cucharadas de harina refinada de espelta
1 cucharada de canela molida
1/2 cucharadita de nuez moscada molida
1/2 taza de zumo de manzana sin azúcar

Ingredientes para los copos de avena para cobertura

1 taza de copos de avena clásicos
1/2 taza de harina refinada de espelta
1/3 de taza de azúcar de caña integral
1/4 de taza de mantequilla clarificada fría

1. Precalienta el horno a 190 °C. Engrasa ligeramente, con mantequilla clarificada, una fuente para el horno de 20×20 cm, y reserva.

2. En un bol grande, mezcla bien con ayuda de una cuchara las manzanas, el azúcar, la harina, la canela y la nuez moscada. Viértelo sobre la fuente que has preparado.

3. Vierte el zumo de manzana por un lado de la fuente para el horno, con cuidado de que las manzanas no se queden sin harina y especias. Reserva mientras preparas los copos de avena para cubrir la tarta.

4. Mezcla bien en un bol de tamaño mediano los cereales, la harina y el azúcar. Corta en trozos la mantequilla e incorpórala

a la mezcla con la ayuda de un tenedor hasta que quede desmenuzada.

5. Extiende la mezcla de cereales sobre las manzanas, presionando suavemente con una espátula. Hornea la tarta durante unos 50 minutos, o hasta que las manzanas estén tiernas. Sirve la tarta caliente o a temperatura ambiente.

Pudín de arroz en olla de cocción lenta

Esta receta queda mejor en una pequeña olla eléctrica de cocción lenta, de unos 3,5 litros. Ya sea como postre o para desayunar, el pudín de arroz es un alimento de lo más reconfortante.

Ingredientes para 8 raciones

4 tazas de leche de almendras sin endulzar con sabor a vainilla
1/4 de taza de azúcar de caña integral
1/2 taza de arroz arborio o similar
1 taza de uvas pasas negras
1 cucharadita de canela molida

---

1. Engrasa ligeramente, con mantequilla clarificada, una olla eléctrica de cocción lenta de unos 3,5 litros y reserva.
2. En una cazuela de unos 2,5 litros calienta la leche sin dejar de removerla. Retírala del fuego.
3. Echa la leche en la olla eléctrica y después el azúcar hasta que se disuelva.
4. Añade ahora el arroz a la olla. Tápala y déjala al fuego 1,5 horas.
5. Abre la olla, añade las uvas pasas y la canela, mézclalo todo bien, tápalo de nuevo y deja que cueca 1 hora más o hasta que el arroz esté tierno y el pudín cremoso. Sirve caliente.

PASTEL DE FRUTOS DEL BOSQUE

*Este postre, jugoso y lleno de sabor, satisface a cualquier perso-
na golosa. Los frutos del bosque adquieren una textura deliciosa y la cobertura queda ligera y hojaldrada. Tengo que confesar
que a veces he disfrutado de él como desayuno.*

Ingredientes para 6 raciones

4 tazas de frutos del bosque frescos o congelados
(se recomienda moras, arándanos y frambuesas)
3 cucharadas de azúcar de caña integral
2 cucharadas de harina refinada de espelta

Ingredientes para la cobertura del pastel

2 tazas de harina refinada de espelta
1/3 de taza de azúcar de caña integral
1 cucharada de levadura en polvo
1/4 de cucharadita de sal marina
1/4 de taza de mantequilla clarificada sólida
1 taza y 1/4 de leche de almendras sin endulzar

1. Precalienta el horno a 190 °C. Engrasa ligeramente, con mantequilla clarificada, una fuente para el horno de 20×20 cm y reserva.

2. En un bol de tamaño mediano, mezcla bien con una cuchara
los frutos, la harina y el azúcar.

3. Extiende esta mezcla sobre la fuente para el horno y resérvala
mientras preparas la cobertura del pastel.

4. Para preparar la cobertura, mezcla bien en un bol de tamaño
mediano la harina, el azúcar, la levadura en polvo y la sal. Corta
la mantequilla en trozos y mézclala con el resto de los ingredientes con la ayuda de un tenedor.

5. Haz un hueco en el centro de la mezcla para la cobertura y
echa rápidamente la leche en él, mezclándolo bien hasta que
quede todo empapado en ella. La masa espesará enseguida.

6. Ve echando en el molde la masa a cucharadas.

7. Hornea el pastel de 35 a 40 minutos, o hasta que quede ligeramente dorado. Deja que se enfríe unos 10 minutos y sirve.

PASTELITOS DE FRESA

Estos pastelitos me recuerdan a los deliciosos pasteles que yo disfrutaba en mi infancia. Mucho mejor de los que puedas encontrar en una tienda, estos pastelitos resultan magníficos elaborados con cualquier fruta.

Ingredientes para 12 raciones

6 tazas de fresas cortadas en láminas
1/3 de taza de sirope de arroz
2 tazas de harina refinada de espelta
3 cucharadas de azúcar de caña integral
1 cucharada de levadura en polvo
1 pizca de sal marina
6 cucharadas de mantequilla clarificada
De 2/3 a 3/4 de taza de leche de almendras sin endulzar

Ingredientes para la nata montada

1 taza de nata para montar
1/2 cucharadita de stevia

1. Precalienta el horno a 200 °C. Engrasa ligeramente una placa de hornear de 23×33 con mantequilla clarificada y reserva.

2. En un bol grande, mezcla bien con una cuchara las fresas y el sirope de arroz. Tápalo y déjalo en la nevera al menos unos 30 minutos.

3. En un bol de tamaño mediano, mezcla la harina, el azúcar, la levadura en polvo y la sal. Corta la mantequilla en trozos y mézclala bien.

4. Añada la leche al bol y mézclala bien hasta formar una masa.

5. Sobre una superficie enharinada, estira la masa hasta formar un rectángulo de 13×23 cm. Corta la masa en 12 cuadrados y colócalos en la placa de hornear.

6. Hornea la masa de 12 a 15 minutos, o hasta que la base se dore. Déjala enfriar mientras preparas la nata montada.

7. Enfría la nata en el congelador durante unos 10 minutos. En un bol pequeño, mezcla la nata y la stevia. Remuévelo bien durante unos 4 minutos o hasta que quede a punto de nieve. Guárdala en la nevera hasta la hora de utilizarla.

8. Corta cada cuadrado en dos partes, como en dos galletas, así tendrás la base y la cobertura de cada pastelito.

9. Coloca las bases de los pastelitos en 12 platos individuales y pon encima de cada uno 1/4 de taza de fresas y la mezcla de sirope. Cubre las bases con la parte superior y añade otro 1/4 de fresas y de sirope en cada pastel. Acábalos poniendo 2 cucharadas de nata montada encima y sírvelos.

PASTEL DE BONIATOS

Los boniatos son buenos aliados en el mundo de la alimentación, de modo siempre que tengamos oportunidad debemos añadirlos a nuestra dieta, ¡y con más razón si ello significa disfrutarlos en un pastel!

Ingredientes para un pastel de 23 cm

2 tazas y 1/2 de boniatos cortados en dados
(aproximadamente unos 4 boniatos de tamaño mediano)
1/2 taza de leche de almendras sin endulzar, caliente
1/4 de taza de azúcar de caña integral
1/4 de taza de melaza
3 cucharadas de mantequilla clarificada
1/2 taza de sucedáneo de huevo
1 cucharada y media de canela molida
1/2 cucharadita de sal marina
1/4 de cucharadita de nuez moscada molida
1/4 de cucharadita de jengibre en polvo
1/4 de cucharadita de clavo molido
Receta de base de espelta para pastel (página 272)

Ingredientes para la nata montada

1 taza de nata para montar
1/2 cucharadita de stevia

1. En una cazuela de 4,5 litros, cubre los boniatos con agua y ponlos a cocer durante unos 20 minutos, o hasta que queden tiernos.
2. Pasa los boniatos cocidos a un bol grande o a un robot de cocina y tritúralos hasta que quede una masa fina.
3. En otro bol, pon la leche, el azúcar, la melaza y la mantequilla. Mézclalo todo muy bien con una cuchara.
4. Precalienta el horno a 175 °C. Con mantequilla clarificada, engrasa ligeramente un molde de 23 cm y reserva.

5. Añade los boniatos triturados a la leche y mézclalo bien a mano o con una batidora hasta que quede una pasta suave.

6. Añade a la crema de boniato el sucedáneo de huevo, la canela, la sal, la nuez moscada, el jengibre y los clavos y mezcla la masa muy bien con una cuchara.

7. Sobre una superficie enharinada, trabaja la masa dándole forma de un círculo de unos 23 cm de diámetro y pásalo al molde.

8. Hornea la base durante unos 40 o 45 minutos, o hasta que los bordes estén firmes al tacto. Es posible que el pastel esté blando en el centro, pero cuando se enfríe quedará bien sólido. Mientras se hornea, controla de vez en cuando que no se dore demasiado rápidamente, si es así, cubre los bordes con papel de aluminio. Mientras el pastel se hornea, prepara la nata montada.

9. Para hacer la nata montada, mete la nata en el congelador durante unos 10 minutos. En un bol pequeño echa la nata y la stevia y bátela bien durante unos 4 minutos, o hasta que quede a punto de nieve. Guárdala en la nevera hasta que llegue el momento de usarla.

10. Pon el pastel horneado sobre una rejilla y, una vez frío, mételo en la nevera durante unos 30 minutos. Sírvelo con la nata montada.

PASTEL DE MANZANA CON PASAS Y ALMENDRAS

Un pastel de manzana aderezado con unos cuantos ingredientes alcalinizantes más es mucho más que un rico pastel. Esta inusual mezcla de ingredientes combina tan bien que nunca volverás a hacer un pastel de manzanas normal.

Ingredientes para un pastel de 23 cm

1/2 taza de almendras fileteadas
1/2 taza de pasas
2 cucharadas de zumo de manzana sin endulzar
7 tazas de manzanas en finas rodajas (unas 5 manzanas grandes)
1/2 taza de azúcar de caña integral
3 cucharadas de harina refinada de espelta
1 cucharada de zumo de limón recién exprimido
1 cucharadita de ralladura de cáscara limón
1/2 cucharadita de canela molida
1/4 cucharadita de nuez moscada molida
Receta de la base de espelta para pastel (página 272)
2 cucharadas de mantequilla clarificada sólida

1. En una sartén de unos 25 cm, tuesta las almendras a fuego medio, removiéndolas de vez en cuando durante unos 3 minutos, o hasta que queden ligeramente doradas. Ten cuidado de que no se quemen. Reserva.

2. En un bol pequeño, mezcla las pasas y el zumo de manzana y déjalas en remojo unos 30 minutos. Escúrrelas después.

3. Precalienta el horno a 220 °C. Engrasa ligeramente un molde de 23 cm con mantequilla clarificada y reserva.

4. En un bol grande, mezcla bien con una cuchara las manzanas, las almendras, las pasas, el azúcar, la harina, el zumo, la ralladura de limón, la canela y la nuez moscada.

5. Divide la masa en dos mitades y sobre una superficie enharinada, con la ayuda de un rodillo, forma un círculo de 23 cm y colócalo en el molde preparado anteriormente.

6. Coloca el relleno sobre la base del pastel y añade unos trozos de mantequilla. Prepara otro círculo con la otra mitad de la masa y cubre el relleno. Sella los bordes y haz en el centro unos cuantos agujeritos para que salga el vapor mientras se cuece el pastel.

7. Hornea el pastel durante 15 minutos, reduce la temperatura a unos 175 °C y vuélvelo a hornear de 40 o 50 minutos más, o hasta que se dore. Si los b empiezan a tostarse, tápalo con papel de aluminio y sigue horneándolo. Déjalo enfriar 10 minutos y sírvelo.

BASE DE ESPELTA PARA PASTEL

Esta receta es lo más similar posible a una base de pastel, pero es menos acidificante. Se puede adaptar a cualquier receta que requiera una base de pastel.

Ingredientes para dos bases regulares de 23 cm o una base gruesa del mismo diámetro

2 tazas de harina refinada de espelta
1/2 cucharadita de sal marina
1/2 taza de mantequilla clarificada
7 u 8 cucharadas de agua helada

1. En un bol grande, mezcla la harina y la sal. Corta la mantequilla y mézclala bien con la ayuda de un tenedor.
2. Añade ahora el agua cucharada a cucharada, y mézclala hasta conseguir una masa elástica.
3. Divide la masa en 2 mitades. Sobre 2 hojas de papel encerado o parafinado, forma 2 círculos de 23 cm cada uno. Si deseas una masa más gruesa, no dividas la masa en 2 mitades.
4. Úsala para tus recetas de pasteles y hornéala siguiendo la receta.

CONSEJO ÚTIL

Cubre la masa con un envoltorio de plástico y guárdala en el nevera unos 5 días o bien congélala en forma de bola durante un máximo de 2 meses.

GALLETAS DE COPOS DE AVENA

Esta receta es realmente sana, y con los niños el éxito es total.

Ingredientes para 36 galletas

3 cucharadas de agua
1 cucharada de linaza molida
1 taza de uvas pasas negras
1/3 de taza de azúcar de caña integral
1/4 de taza de sirope de arroz
3 cucharadas de mantequilla clarificada diluida
1 taza y ¼ de copos de avena
3/4 de taza de harina refinada de espelta
1 cucharada y 1/2 de canela molida
1/2 cucharadita de bicarbonato sódico
1/8 de cucharadita de sal marina
1/3 de taza de coco rallado sin endulzar

1. Precalienta el horno a 190 °C. Cubre dos placas de hornear de 23×33 cm con papel encerado.

2. En un bol pequeño, mezcla el agua y la linaza. Deja que repose unos 10 minutos.

3. En otro bol, cubre las pasas con agua caliente y déjalas en remojo unos 5 minutos. Escúrrelas.

4. En un bol de tamaño mediano mezcla el azúcar, el sirope de arroz y la mantequilla. Bátelo a velocidad media durante unos 30 segundos o hasta que quede bien mezclado. La mezcla debe quedar granulada. Añade la mezcla con la linaza y bátelo todo unos 30 segundos más o hasta que quede bien mezclado. Reserva.

5. En un bol pequeño, mezcla los cereales, la harina, la canela, el bicarbonato sódico, y la sal.

6. Mezcla bien los ingredientes secos, las pasas y el coco con los líquidos.

7. Con una cuchara, haz unos montoncitos con la masa sobre las placas de hornear, dejando una separación entre ellas de

unos 5 cm. Hornea durante 8 minutos, o hasta que crezcan un poco y se doren ligeramente. No deben quedar demasiado hechas, porque si no quedan correosas.

8. Retira las galletas del horno, sin quitar el papel encerado, y déjalas enfriar sobre una rejilla.

BROWNIES DE CHOCOLATE

Estos brownies no contienen ni huevos ni productos lácteos, y son deliciosos y muy esponjosos. Si lo deseas, no es necesario que les añadas frutos secos o semillas, el resultado seguirá siendo extraordinario.

Ingredientes para 8 brownies grandes

1 taza y 1/2 de harina refinada de espelta
1 taza de azúcar de caña integral
1/4 de taza de cacao en polvo de cultivo biológico
1 cucharadita de levadura en polvo
1/2 cucharadita de sal marina
1/2 taza de pipas de calabaza crudas y troceadas, anacardos,
o nueces (o bien una combinación de todo ello)
1/2 taza de agua a temperatura ambiente
1/2 taza de leche de almendras sin endulzar, a temperatura ambiente
1/3 de taza de mantequilla clarificada derretida
1 cucharadita de vinagre de sidra

1. Precalienta el horno a 175 °C. Engrasa ligeramente, con mantequilla clarificada, una tartera de 20×20 cm y cubre la base con papel parafinado, reserva.

2. En un bol de tamaño mediano, mezcla la harina, el azúcar, el cacao en polvo, la levadura y la sal. Añade las semillas y reserva.

3. Ahora, en un bol pequeño, echa el agua y la leche y mézclalas bien.

4. Añade a la preparación anterior la mantequilla y el vinagre y mézclalo todo bien con una cuchara.

5. Mezcla los ingredientes líquidos con los secos y mézclalos muy bien con una cuchara.

6. Vierte la masa en la tartera engrasada, con cuidado de que quede bien nivelada, y hornéala de 40 a 45 minutos, o hasta que insertando en la masa un palillo de dientes éste salga limpio. Déjalo enfriar unos 5 minutos, lo puedes servir templado o bien frío tras haberlo guardado en la nevera un mínimo de 1 hora.

TARTA DE PIÑA Y ZANAHORIA CON GLASEADO DE QUESO CREMA

Este pastel es todo textura y sabor. Si la mañana del día de navidad fuera una comida, tendría este sabor.

Ingredientes para 9 raciones

1/2 taza de agua
3 cucharadas de linaza molida muy fina
2 tazas y 1/2 de harina refinada de espelta
1 taza de coco triturado natural, sin endulzar
2/3 de taza de azúcar de caña integral
2 cucharaditas de levadura en polvo
2 cucharaditas de canela molida
1 cucharadita de bicarbonato sódico
1 cucharadita de especias para pastel de calabaza
1/2 cucharadita de sal marina
2 tazas de zanahorias ralladas muy finas
(unas 4 zanahorias de tamaño medio)
3/4 de taza de piña en lata troceada
3/4 de taza de leche de almendras sin azúcar con sabor a vainilla
1/2 taza de mantequilla clarificada derretida
1/2 taza de compota de manzanas sin endulzar
1/2 taza de uvas pasas
1/2 taza de pipas de calabaza crudas troceadas

Ingredientes para el glaseado de queso crema

225 g de queso crema a temperatura ambiente
1/3 de taza de mantequilla clarificada a temperatura ambiente
1/3 de taza de sirope de arroz
1 cucharadita de stevia
2 cucharaditas de ralladura de cáscara de limón

1. Precalienta el horno a 175 °C. Engrasa ligeramente, con mantequilla clarificada, un molde de 23×23 cm y cubre el fondo con papel parafinado. Reserva.
2. En un bol pequeño, mezcla el agua y la linaza. Remueve bien y déjalo en remojo unos 10 minutos.

3. En un bol de tamaño mediano bate el harina, el coco, el azúcar, la levadura en polvo, la canela, el bicarbonato sódico, las especias para pastel de calabaza, y la sal. Reserva.

4. En un bol grande, echa la linaza en remojo, las zanahorias, la piña, la leche, la mantequilla, la compota de manzanas, las uvas pasas y las pipas de calabaza. Mézclalo bien con una cuchara.

5. Mezcla muy bien los ingredientes secos con los líquidos.

6. Echa la masa en el molde engrasado, nivélala, y métela en el horno de 40 a 45 minutos, o hasta que introduciendo en ella un palillo de dientes, éste salga limpio. Prepara la glasa de queso crema mientras se hornea el pastel.

7. Para preparar la glasa, mezcla el queso y la mantequilla en un bol de tamaño mediano. Bátelo con una batidora eléctrica durante unos 3 minutos. Añade el sirope de arroz y la stevia, y bátelo unos 2 minutos más o hasta que quede bien esponjoso. Añade la ralladura de limón con una cuchara.

8. Cubre el pastel con la glasa tras haberlo dejado enfriar en la nevera un mínimo de 1 hora.

VARIANTE

Para darle un sabor diferente, sustituye las zanahorias por chirivías.

PAN DE JENGIBRE

¡Me encanta este bizcocho! Es muy fácil de hacer y deja en la cocina un aroma maravilloso. ¡Con él no tengo más remedio que vigilar la ración que tomo!

Ingredientes para 9 raciones

1 taza y 1/2 de harina refinada de espelta
1/2 taza de harina de kamut
1 cucharada de levadura en polvo
1 cucharadita de jengibre en polvo
1/2 cucharadita de canela molida
1/2 cucharadita de nuez moscada molida
1/4 cucharadita de sal marina
1/8 de cucharadita de clavo molido
1/8 de cucharadita de pimienta de Jamaica molida
2/3 de taza de leche de almendras sin endulzar
1/3 de taza de aceite de oliva suave
1/3 de taza de melaza
1/3 de taza de azúcar de caña integral
1 cucharada y 1/2 de jengibre fresco rallado
1 cucharada de ralladura de cáscara de naranja

1. Precalienta el horno a 175 °C. Engrasa ligeramente un molde de 23×23 cm con mantequilla clarificada y reserva.
2. En un bol grande, mezcla las harinas, la levadura en polvo, el jengibre, la canela, la nuez moscada, la sal, los clavos y la pimienta. Reserva.
3. En un bol de tamaño mediano, echa la leche, el aceite, la melaza, el azúcar, el jengibre, y la peladura de naranja. Mézclalo todo bien con una cuchara.
4. Mezcla los ingredientes secos con los húmedos y bate bien con una cuchara.
5. Echa la masa en el molde engrasado, ten cuidado de que quede bien nivelada y hornéala de 35 a 40 minutos, o hasta que introduciendo un palillo de dientes en el centro del pastel, éste salga limpio. Déjalo enfriar unas 5 minutos y sírvelo templado con la salsa de ralladura de limón (página 198).

MACEDONIA

Ésta es mi combinación favorita de fruta para la macedonia, pero puedes poner la fruta que quieras, siempre, claro está, que elijas las frutas de la lista de alcalinizantes.

Ingredientes para 8 raciones

4 tazas de melón cantalupo, o de sandía, en dados
1 taza de fresas fileteadas
1/2 taza de uvas pasas o uvas frescas cortadas por la mitad
1/2 taza de piña troceada, natural o en lata sin endulzar
4 kiwis, pelados y cortados en láminas
1 lata de 300 g de mandarinas escurridas
o frescas en cantidad similar
2 plátanos en rodajas
1/4 de taza de sirope de arroz
1/4 de taza de zumo de naranja
1/4 de taza de copos de coco sin endulzar

1. Pon en un bol toda la fruta elegida.
2. En un bol pequeño, mezcla el sirope de arroz y el zumo de naranja. Mézclalo bien con una cuchara, échalo sobre la fruta y remueve bien.
3. Espolvorea las frutas con coco rallado, pon a enfriar unos 30 minutos y sirve.

GALLETAS DE MIEL DE CAÑA (MELAZA) Y ESPECIAS

A estas galletas no se les puede dar sólo un mordisco; el dulzor suave de la miel de caña y el sabor que dejan las especias ligeramente picante hacen que resulten deliciosas a cualquier hora del día.

Ingredientes para 24 galletas

3 cucharadas de agua
1 cucharada de linaza molida
2 tazas de harina refinada de espelta
2 cucharaditas de bicarbonato sódico
1 cucharadita de canela molida
1 cucharadita de jengibre en polvo
1/2 cucharadita de clavo molido
1/8 de cucharadita de sal marina
2/3 de taza de azúcar de caña integral
1/2 taza de mantequilla clarificada
1/4 de taza de melaza
Azúcar de caña integral para cubertura

1. Precalienta el horno a 190 °C. Engrasa ligeramente, con mantequilla clarificada, dos placas de hornear, o bien ponles papel parafinado, y reserva.

2. En un bol pequeño, mezcla el agua y la linaza. Déjalo 10 minutos en remojo.

3. En un bol mediano, bate la harina, el bicarbonato sódico, la canela, el jengibre, los clavos y la sal y reserva.

4. En un cuenco grande, echa la linaza remojada, el azúcar, la mantequilla y la miel de caña. Mezcla todo bien con una cuchara.

5. Mezcla muy bien los ingredientes secos con los líquidos.

6. Echa azúcar en una fuente. Con las manos, haz unas bolitas de 1,25 cm aproximadamente y rebózalas con el azúcar. Coloca las bolitas en las placas de hornear y deja entre ellas un espacio de unos 5 cm.

7. Hornea durante 8 o 10 minutos, o hasta que los bordes queden firmes pero el centro de la galleta esté todavía blando. Deja que se enfríen y sirve.

TARTALETAS DE MANTEQUILLA Y UVAS PASAS

Cuando yo era pequeña, mi madre solía hacerme estos maravillosos dulces. Llegando del colegio, tan pronto como atravesaba la puerta de la casa, olía el delicioso aroma que desprendían.

Ingredientes para 12 tartaletas

1 taza de uvas pasas negras
1 taza de agua hirviendo
1/4 de taza de pipas de calabaza crudas
1/2 taza de sirope de arroz
1/4 de taza de azúcar de caña integral
2 cucharadas de mantequilla clarificada
1/3 de taza de sucedáneo de huevo
Receta de base de espelta para pastel (página 272)

1. Precalienta el horno a 200 °C. Engrasa 12 moldes individuales para tartaletas, o 12 moldes para magdalenas, con mantequilla clarificada y reserva.

2. En un bol pequeño deja las pasas en remojo durante unos 10 minutos.

3. Pasa las pipas de calabaza por un robot de cocina hasta que queden trituradas. reserva.

4. En una cazuela de 2,5 litros, echa el sirope de arroz, el azúcar, y la mantequilla y déjalos unos 3 minutos a fuego medio hasta que se caliente y mezclen.

5. Escurre las pasas y échalas a la cazuela. Retira del fuego y deja que se enfríe.

6. Añade a la olla el sucedáneo de huevo y las pipas de calabaza y mézclalo todo bien con una cuchara.

7. Divide la masa en dos y sobre una superficie enharinada, amasa la mitad y déjala unos 0,3 cm más gruesa que la que harías para un pastel. Corta la masa en círculos que cubran las tartaletas individuales, introdúcelos en ellas y presiona la masa con cuidado en el fondo.

8. Echa sobre las tartaletas unas 2 cucharadas de la mezcla de las uvas pasas y hornéalas durante 15 minutos, o hasta que se doren. Déjalas enfriar unos 15 minutos y sirve. Si utilizas moldes de magdalenas, enfríalas 10 minutos, retira el papel con cuidado y luego déjalas sobre una rejilla para que se acaben de enfriar.

BIZCOCHO DE LIMÓN

Cuantos más limones, mejor, en cuanto a una dieta alcalina se refiere. Ésta es una manera deliciosa y ácida de introducir limones en tu dieta.

Ingredientes para 1 bizcocho

6 cucharadas de agua
2 cucharadas de linaza molida
1 taza y 3/4 de harina refinada de espelta
2 cucharaditas de levadura en polvo
1/4 cucharadita de sal marina
2/3 de taza de leche de almendras sin endulzar,
a temperatura ambiente
2/3 de taza de azúcar de caña integral
1/4 de taza de mantequilla clarificada
2 cucharaditas de ralladura de limón

Ingredientes para la glasa

3 cucharadas de sirope de arroz
1 cucharada de zumo de limón recién exprimido
1 cucharadita de ralladura de cáscara de limón

1. Precalienta el horno a 175 °C. Engrasa un molde de 23×13 cm con mantequilla clarificada, pon en el fondo papel parafinado, y reserva.
2. En un bol pequeño, mezcla el agua y la linaza y deja que se remoje durante 10 minutos.
3. En un bol grande, mezcla la harina, la levadura en polvo y la sal, y haz un hueco en el medio.
4. En un bol mediano mezcla bien con una cuchara la linaza en remojo, la leche, el azúcar, la mantequilla, y la ralladura de limón.
5. Mezcla bien los ingredientes líquidos con los secos con la ayuda de una cuchara hasta formar una masa.
6. Echa la masa en el molde, nivélala, y ponla a hornear de 40 a 45 minutos, o hasta que introduciendo en el medio del pastel

un palillo de dientes éste salga limpio. Deja que se enfríe sobre una rejilla mientras preparas la glasa.

7. Para la glasa, mezcla con una cuchara, en un bol pequeño, el sirope de arroz, el zumo y la peladura de limón.

8. Una vez que el molde está completamente frío, saca el bizcocho y colócalo en una fuente grande. Glaséalo con la preparación de sirope de arroz y el zumo de limón y déjalo 30 minutos en la nevera antes de servirlo.

BIZCOCHO DE PLÁTANO

Esta riquísima receta, extraordinariamente baja en grasa, sirve también para hacer unas magníficas magdalenas, tan sólo hay que cambiar de moldes.

Ingredientes para 1 bizcocho

6 cucharadas de agua
2 cucharadas de linaza molida
1 taza de plátanos triturados (3 plátanos aproximadamente)
1 taza y 1/2 de leche de almendras sin endulzar
1/2 taza de azúcar de caña integral
1/4 de taza de compota de manzanas sin edulcorantes
1/4 de taza de mantequilla clarificada
1 taza y 1/4 de harina refinada de espelta
1/2 taza de harina de teff
2 cucharaditas de levadura en polvo
1 cucharadita de bicarbonato sódico

1. Precalienta el horno a 175 °C. Engrasa ligeramente un molde de 23×13 con mantequilla clarificada, coloca papel parafinado en el fondo y reserva.
2. En un bol pequeño, echa la linaza y el agua y deja en remojo unos 10 minutos.
3. Mezcla en un bol grande, con una cuchara, la melaza preparada, los plátanos, la leche, el azúcar, la compota de manzanas y la mantequilla. Reserva.
4. Bate en un bol pequeño las harinas, la levadura en polvo y el bicarbonato sódico.
5. Une los ingredientes secos con los líquidos y mézclalos bien con una cuchara.
6. Vierte la masa en el molde, cuidando que quede bien nivelada, y ponla a hornear durante unos 75 minutos, o hasta que pinchando el bizcocho con un palillo de dientes, éste salga limpio. Antes de sacarlo del molde, deja que se enfríe.

VARIANTE

Para hacer magdalenas, precalienta el horno a 175 °C y engrasa unos 12 moldes. Prepara la masa tal como indica la receta y luego rellena con ella los moldes de las magdalenas, pero sólo un poco por encima de la mitad. Hornea de 20 a 25 minutos, o hasta que pinchando en la mitad de una magdalena con un a palillo de dientes, éste salga limpio. Deja que se enfríen unos 15 minutos y sirve.

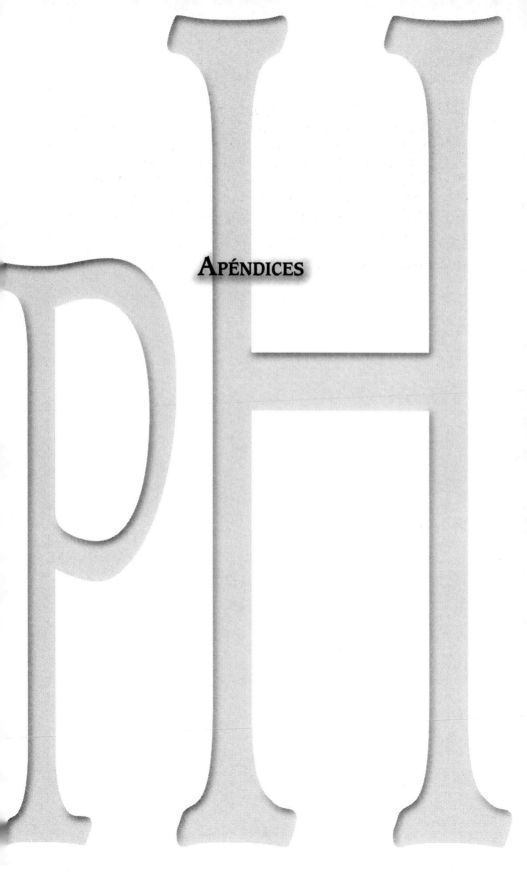

APÉNDICES

EQUIVALENCIAS MÉTRICAS

TABLA DE CONVERSIÓN DE MEDIDAS COMUNES PARA LÍQUIDOS		
Medida	**=**	**Mililitros**
1/4 cucharadita	=	1,25 mililitros
1/2 cucharadita	=	2,50 mililitros
3/4 cucharadita	=	3,75 mililitros
1 cucharadita	=	5,00 mililitros
1 cucharada y 1/4	=	6,25 mililitros
1 cucharada y 1/2	=	7,50 mililitros
1 cucharada y 3/4	=	8,75 mililitros
2 cucharaditas	=	10,00 mililitros
1 cucharada	=	15,00 mililitros
2 cucharadas	=	30,00 mililitros
Medida	**=**	**Litros**
1/4 de taza	=	0,06 litros
1/2 taza	=	0,12 litros
3/4 de taza	=	0,18 litros
1 taza	=	0,24 litros
1 taza y 1/4	=	0,30 litros
1 taza y 1/2	=	0,36 litros
2 tazas	=	0,48 litros
2 tazas y 1/2	=	0,60 litros
3 tazas	=	0,72 litros
3 tazas y 1/2	=	0,84 litros
4 tazas	=	0,96 litros
4 tazas y 1/2	=	1,08 litros
5 tazas	=	1,20 litros
5 tazas y 1/2	=	1,32 litros

TABLA DE CONVERSIÓN DE GRADOS FAHRENHEIT A GRADOS CENTÍGRADOS		
Fahrenheit	=	Centígrados
200–205	=	95
220–225	=	105
245–250	=	120
275	=	135
300–305	=	150
325–330	=	165
345–350	=	175
370–375	=	190
400–405	=	205
425–430	=	220
445–450	=	230
470–475	=	245
500	=	260

FÓRMULAS DE CONVERSIÓN		
LÍQUIDOS		
Cuando conoces la cantidad de	Multiplica por	Para determinar los
cucharaditas	5,00	mililitros
cucharadas	15,00	mililitros
onzas líquidas	30,00	mililitros
tazas	0,24	litros
pintas	0,47	litros
cuartos de galón	0,95	litros
PESO		
Cuando conoces la cantidad de	Multiplica por	Para determinar los
onzas	28,00	gramos
libras	0,45	kilogramos

Menús internacionales

Seguir una dieta equilibrada para el pH no implica renunciar a los sabores y texturas que nos ofrecen las innumerables cocinas del planeta. Se puede tomar una cena mexicana especiada o una fabulosa comida italiana estando uno seguro de que es algo saludable y bueno para el pH. A continuación, unos cuantos menús inspirados en la gastronomía internacional que elaboré combinando varias recetas de este libro.

Menú norteamericano para celebrar la cosecha
Crema de calabaza, pera y jengibre (página 140)
Galletas de espelta sazonadas con hierbas (página 98)
Calabacín de invierno con relleno otoñal (páginas 205-206)
Crujiente de manzana y copos de avena (páginas 262-263)

Menú asiático
Sopa de miso (página 139)
Cerdo Moo Shu (páginas 232-233) con salsa oriental (página 190)
Arroz Mahogany (página 204)
Macedonia (página 279)

Menú griego
Salsa templada de alcachofa (página 117) con crudités de verduras
Patatas asadas al estilo griego (páginas 220-221)
Rollitos de berenjena al horno (páginas 236-237)
Tartaletas de mantequilla y uvas pasas (páginas 281-282)

MENÚ INDIO
Sopa de lentejas india (páginas 152-153)
Surtido de verduras asadas al estilo indio (página 211)
Albóndigas con curry (páginas 248-249) con arroz basmati
Macarons de coco (página 131)

MENÚ ITALIANO N.º 1
Sopa de ajo al horno (páginas 136-137)
Verduras marinadas a la italiana (páginas 178-179)
Salsa de tomate con albahaca (página 197)
Tarta de frutas con base de almendras (páginas 260-261)

MENÚ ITALIANO N.º 2
Hogaza de pan rústico (páginas 92-93)
Ensalada de hinojo y naranja (página 171)
Pasta de verano (páginas 230-231)
Barritas de limón (página 130)

MENÚ MEDITERRÁNEO
Sopa de lentejas y col rizada (página 135)
Ensalada de gambas y aguacate (páginas 172-173)
Calabacines rellenos (páginas 250-251)
Pastel de manzana con pasas y almendras (páginas 270-271)

MENÚ MEXICANO
Salsa de judías negras (páginas 118-119) con bocados de tortilla crujientes
    (páginas 124-125)
Pescado a la parrilla con pesto de cilantro (páginas 246-247)
Quinoa a la española (páginas 212-213)
Bizcocho de limón (páginas 283-284)

MENÚ ORIENTAL N.º 1
Baba ganoush (páginas 122-123) con pan de kamut (páginas 94-95)
Ensalada tabulé con quinoa (páginas 168-169)
Estofado de pollo con romero y limón (páginas 226-227)
Macedonia (página 279)

MENÚ ORIENTAL N.º 2
Ensalada tabulé con quinoa (páginas 168-169)
Hamburguesas de falafel con pasta de tahina (páginas 234-235)
Pudín de arroz en olla de cocción lenta (página 264)

MENÚ THAI
Rollos de ensalada tailandesa (página 185) con salsa oriental para aperitivos
   (página 190)
Arroz Mahogany (página 204)
Pollo asado con salsa de mango (páginas 238-239)
Macedonia (página 279)

MENÚ INGLÉS
Crema de patatas y puerros (página 146)
Pastel de carne (páginas 240-241)
Pastel de frutos del bosque (página 265)

Recursos

Ahora que te has decidido a cambiar a un estilo de vida más natural y seguir una dieta con un pH equilibrado, tal vez te preguntes dónde puedes comprar algunos de los ingredientes menos comunes citados en este libro. Por si no encuentras algún artículo en los supermercados o establecimientos especializados en productos dietéticos de tu localidad, he aquí algunas sugerencias para ayudarte. Además, muchas de las empresas aquí enumeradas venden sus artículos por Internet.

Amazing Grass Organic Green SuperFoods
PO Box 475576
San Francisco, CA 94147
Estados Unidos
866-472-7711
info@amazinggrass.com
www.amazinggrass.com

Amazing Grass Green SuperFood es un suplemento nutritivo en polvo. Se trata de una combinación de frutas, verduras, hierbas y otros productos vegetales que estimulan el sistema inmunitario y alcalinizan el organismo. Amazing Grass Green SuperFood está certificado como producto de cultivo biológico.

The Center for Better Bones
605 Franklin Park Drive
East Syracuse, NY 13057
Estados Unidos
315-437-9384
888-206-7119
info@betterbones.com
www.betterbones.com

Fundado por la doctora Susan E. Brown, Center for Better Bones ofrece un enfoque integral del cuerpo para entender la salud de los huesos. Defiende el crecimiento saludable y la regeneración por medio de la nutrición y otras opciones de estilo de vida, entre las que se encuentra el equilibrio del pH. Además de libros, DVD y CD, en su página web se pueden encontrar desde tiritas de papel tornasol hasta equipos completos para determinar el pH.

Blue Diamond Almonds
800-987-2329
customerservice@bdgrowers.com
www.bluediamond.com

Blue Diamond Almonds elabora la leche de almendras Almond Breeze y muchos otros productos a base de este fruto seco, como la mantequilla de almendra.

Bob's Red Mill Natural Foods
13521 SE Pheasant Court
Milwaukie, OR 97222
Estados Unidos
www.bobsredmill.com
800-349-2173
800-553-2258

Bob's Red Mill Natural Foods fabrica una amplia variedad de productos de grano entero, incluyendo arruruz, amaranto y harinas sin gluten.

Encore Woodland
www.tasteofwoodland.com

Encore Woodland produce el extracto de humo líquido Hickory Liquid Smoke Flavor.

Feel Good Natural Health Stores
129 King St. East
Oshawa, ON L1H 1C2
Canadá

905-571-1100
877-677-7797
www.feelgoodnatural.com

Esta empresa ofrece la línea de suplementos GREENS PLUS además de proteínas en polvo y papel para medir el pH. También vende sus productos a nivel internacional.

Follow Your Heart®

PO Box 9400
Canoga Park, CA 91309
Estados Unidos
818-725-2820
fyhinfo@followyourheart.com
www.followyourheart.com

Follow Your Heart® fabrica la mayonesa sin huevo Vegenaise, además de diversos productos vegetarianos.

Food for Life

800-797-5090
951-279-5090
www.foodforlife.com

Food for Life ofrece panes de grano germinado entre sus más de sesenta productos de panadería (incluidas diversas opciones sin levadura).

Lundberg Family Farms

5370 Church Street
PO Box 369
Richvale, CA 95974
Estados Unidos
530-882-4551
info@lundberg.com
www.lundberg.com

Lundberg Family Farms produce un sirope de arroz integral de muy alta calidad.

Orange Peel Enterprises, Inc.
2183 Ponce De Leon Cir.
Vero Beach, FL 32960
Estados Unidos
800-643-1210
info@greensplus.com
www.greensplus.com

En esta página web se encuentra la línea de suplementos GREENS Plus, entre los que destaca el caldo de verduras alcalinizante en polvo.

Verve Naturals
7018 Wellington Road, 124 S
Guelph, ON N1H 6J4
Canadá
info@puresource.ca
www.puresource.ca
888-313-3369

Verve Naturals fabrica una margarina a partir de aceite de linaza, fuente excelente de ácidos grasos omega-3.

Wholesome Sweeteners
8016 Highway 90-A
Sugar Land, TX 77478
Estados Unidos
800-680-1896
cs@organicsugars.biz
www.wholesomesweeteners.com

Wholesome Sweeteners produce diversos edulcorantes alternativos, incluyendo su marca registrada Sucanat.

ÍNDICE ANALÍTICO

ÍNDICE